生成AI革命

社会は根底から変わる

野口悠紀雄
YUKIO NOGUCHI

日本経済新聞出版

GENERATIVE AI REVOLUTION

はじめに

革命はもう始まっている

ChatGPTなど「生成ＡＩ」と呼ばれる新しい技術が登場し、利用が急速に広がっている。ＡＩ（人工知能）が人間の自然言語を理解し、人間の質問や指示に対して自然言語で的確な答えを返せるようになったのだ。

この活用によって、人間の知的活動は、これまでとはまったく違うものになる。これは、人類の歴史における大きな分岐点となる変化だ。

「生成ＡＩのなかった世界」がこれで終わりになる。そして、「生成ＡＩのある世界」が始まる。革命はもう始まっており、これを押しとどめることはできない。

機械やコンピュータによって人間の仕事が代替されることは、これまでもあった。しかし、生成ＡＩがもたらす変化は、それらとは大きく異なる。

第一に、これまでの技術が主としてブルーカラーの仕事を自動化したのとは違い、生成ＡＩの最も大きな影響は、ホワイトカラーの、それも知的に高度な仕事に及ぶ。活版印刷術やインターネットがもたらしたのと同じような変化が、これから大規模に生じる。ホワイトカラーの仕事が、これまでと同じような内容と形態で、今後も続くことはありえない。

第二に、生成ＡＩは、特定のタスクだけを自動化するのではなく、さまざまな仕事を自動化する。一般的な用途を持つ技術をＧＰＴ（General Purpose Technology：一般汎用技術）と呼ぶのだが、ChatGPTは、まさしくＧＰＴなのだ（注1）。だから、間接的効果も含めれば、誰もがその影響から逃れることはできない。

ただし、現時点では、その機能は完全ではない。とくに、「ハルシネーション（幻覚）」と呼ばれる現象によって、誤った答えを出す。だから、生成ＡＩの答えを完全に信頼して利用することはできない。このため、実際の用途は大きく制限される。それでもなお、利用可能性は大きい。また、ハルシネーションは将来解決できる可能性もある。そうなれば、影響は計り知れない。

両極端のシナリオがある

本書の目的は、「生成ＡＩがある社会とは、どのようなものか？」を予測することだ。そして、それは生成ＡＩがなかった世界に比べてより良い社会なのか、それとも悪い世界なのかを評価する。つまり、生成ＡＩが経済活動と社会にもたらす影響を分析する。

両極端のシナリオが考えられる。第一は、作業が自動化される結果、生産性が向上し、豊かな社会が実現されるケースだ。つまり、生成ＡＩは、ユートピアを実現する可能性を持っている。

しかし、自動化は失業をもたらす可能性が高い。これが第二のケースだ。所得分配がどうなるかわからない。平等化する可能性もあるが、格差が拡大する可能性もある。つまり、生成ＡＩがもたらす社会は、ディストピアでありうる。

実際には、ユートピアとディストピアの両者が混在して実現することもありうる。ある人にとっては、夢を実現できるユートピアの世界となるが、ある人は職を失ってディストピアに突き落とされるというケースだ。このように、生成ＡＩがもたらす影響は、非常に複雑なものとなりうる。最低限言えるのは、ホワイトカラーであるかぎり、誰もが大きな影響を受けることだ。多くの人々が、自分の仕事は大丈夫だろうかと、不安を抱いている。

しかも、問題は、ホワイトカラーの仕事だけではない。社会のあり方が根底から覆されてしまう可能性がある。本文で詳しく見るように、生成ＡＩの用途は、事務処理の効率化だけでなく、カスタマーサービスやマーケティング、研究開発、さらには企業の意思決定にまで及ぶ。企業がこれらの分野でどのように生成ＡＩを用いるかによって、人々の働き方は大きく変わる。

生成ＡＩが採用されると、仕事の内容がこれまでとは大きく変化するだろう。したがって、企業組織の再編と従業員のリスキリングが必須になる。経営者の再教育も必要だ。これらは、決し

（注1）ChatGPTでのＧＰＴは、Generative Pretrained Transformer（「事前トレーニングされた生成系のトランスフォーマー」）の略。なお、「一般汎用技術」の意味でのＧＰＴについては、つぎを参照。野口悠紀雄、遠藤論『ジェネラルパーパス・テクノロジー』アスキー新書、２００８年。

て簡単な課題ではない。しかも、個人が努力してリスキリングしても、仕事を失う可能性がある。

以上のような事態に関して、政策や制度の対応が重要な意味を持つ。変化があまりに大きいため、社会は対応できないかもしれない。そうすると、深刻な問題が発生する危険がある。社会的な不安が高まる危険もありうる。生成ＡＩが生産性を高めて、省力化と経済拡大の好循環が発生することを期待したい。しかし、実際には、経済は拡大せず、新しい技術が失業を増加させるだけの結果になってしまうことが危惧される。

これは世界のどの国も直面する問題だが、日本は格別困難な条件に直面している。第7章で述べるように、生成ＡＩによる自動化によって経済が拡大するか、それとも失業が増えるかは、需要が拡大するか否かに大きくかかっているのだが、日本の場合には、全般的な経済停滞のために、需要が拡大しない（したがって、経済拡大でなく、失業増加がもたらされる）可能性が高いからだ。

日本経済全体としては、今後、労働力不足が深刻化すると予想されるため、省力化技術は重要な意味を持つ。しかし、そこで生み出された余剰労働力が人手不足の分野に適切に再配置されるかどうかは疑問だ。また、日本経済は、デジタル化の推進という課題も抱えている。それに加えて、生成ＡＩという巨大な問題に取り組まざるをえなくなった。

以上のような問題があるからといって、変化を恐れて新しい技術を導入しなければ、日本は世界の進歩から決定的に立ち遅れてしまう。

こうした問題があるにもかかわらず、日本企業は、生成ＡＩの影響を、文書処理の効率化程度としか捉えていない場合が多いように見受けられる。また、政策担当者が適切な問題意識を持っているのかどうかも、大いに疑問だ。考えれば考えるほど、日本の将来に危機感を覚える。本書の目的は、こうした事態に対して警告を発することだ。

「いいえ、陛下。これは革命です」

革命が勃発した時点において、その意味を正しく認識できるかどうかは、きわめて大きな差異をもたらす。

1789年7月14日、パリから10マイル離れたヴェルサイユ宮殿において、バスティーユ監獄襲撃の報告を受けたフランス王ルイ16世は、口ごもり、「それは反乱か？（C'est une révolte?）」と言ったそうである（注2）。

知らせをもたらした側近のラ＝ロシュフコー＝リアンクール公は、「いいえ、陛下。反乱ではありません。これは革命です（Non sire, ce n'est pas une révolte, c'est une révolution.）」と指摘した。

この言葉をルイ16世が正しく理解できたとしたら、そして、すぐさまパリに駆けつけて事態収拾の指揮をとったとしたら、世界の歴史は大きく異なるものになっただろう（注3）。

実際には、国王は、日記帳のその日――現在にいたるまで革命記念日としてフランス国民が祝

（注2）シュテファン・ツヴァイク（中野京子訳）『マリー・アントワネット』（角川文庫、2007年）第18章。

う日（Quatorze Juillet）――の欄に、「何もなし（Rien）」と記入した。そして、寝てしまった。そして、3年半後の1793年1月21日、ギロチンで処刑された。

◆　◆　◆

本書の各章の概要は以下のとおりだ。

「生成ＡＩをどう使っているか？　どう使えるか？」ということに、多くの人が関心を抱いている。そこで、第1章では、人々や企業が、いま生成ＡＩをどのように使っているかという「現状」を見る。ここでは、私が行なったアンケート調査の結果をはじめ、いくつかの調査結果を紹介する。ビジネスでの利用は、アメリカでは進んでいるが、日本では進んでいない。

第2章では、「生成ＡＩをどのように使うことができるか？」という「可能性」を見る。生成ＡＩの可能性は、日本で一般に考えられているより、ずっと大きい。ここでは、日本企業で積極的に活用しているケースを見る。また、最先端では、創薬への応用などが試みられていることなどを紹介する。

第3章では、生成ＡＩの最も高度な利用法の一つであるデータ駆動型企業経営について述べる。これに成功するか否かは、将来の企業業績に大きな影響を与えるだろう。しかし、これは、企業の仕組みと密接に関わる問題であり、実現は容易でない。

第4章では、生成ＡＩが、医療関係者や法律関係者などの専門家の仕事に、すでに進出しつつあることを見る。また、アメリカで現実化しつつあるコピーライターの失業問題を取り上げ、仕事の質とコストの問題を考える。

教育は、生成AIによって本質的な影響を受ける分野だ。これについて第5章で考える。この章では、生成AIの事前学習用データの使用料の問題についても考える。

ChatGPTを動かしている大規模言語モデル（LLM：Large Language Models）のメカニズムは複雑だが、これを正しく理解していないと、正しい使い方ができない。とくに、トランスフォーマーモデルの仕組みの基本を理解する必要がある。これについて、第6章で説明する。

第7章では、「生成AIによる作業の自動化が、失業を増やすのか？　それとも、経済を拡大させるのか？」という問題を考える。これに関してはすでにさまざまな分析や調査が発表されているので、それらを紹介する。失業か経済拡大かを決める最も重要な要因は、先に述べたように、生産性向上に対応して需要が増えるかどうかだ。

第8章と第9章では、生成AIによって社会がどのように変化するかを考える。第8章が描くのは、調整がうまく進まず、失業が増えて社会的不安が高まるディストピアの世界だ。最も大き

（注3）ただし、ツヴァイクは、つぎのようにも述べている（前掲書、第19章）。第一に、新民衆運動の主導者も、のちの残忍な革命家も、この時点では、革命の真の姿を予想していなかった。第二に、ルイ16世は革命に無関心だったのでなく、理解しようと努力していた。ただ、その理解が誤っていた。

な問題は、人間が働くことの意味を見いだしえなくなってしまうことだ。

第9章では、それと正反対に、生成ＡＩが実現しうるユートピアの世界を描く。仕事が自己実現のための手段と考えられる世界、マズローが夢見た5段階の最上階の世界だ。

なお、本書が対象としている生成ＡＩとは、正確には「大規模言語モデル」（ＬＬＭ）と言われるものだ。ただし、「ChatGPT」「生成ＡＩ」などという言葉も、ＬＬＭとほぼ同義のものとして、あまり厳密に区別せずに用いている。これらの概念の正確な関係については、第6章の2を参照されたい。

◆　◆　◆

本書は、『現代ビジネス』『東洋経済オンライン』『ビジネス＋ＩＴ』『ダイヤモンドオンライン』に公表した記事をもととしている。これらの掲載に当たってお世話になった方々に御礼申し上げる。

本書の刊行に当たっては、日経ＢＰ日経ＢＯＯＫＳユニットの田口恒雄氏にお世話になった。御礼申し上げたい。

２０２３年12月

野口悠紀雄

生成AI革命　社会は根底から変わる　目次

第6章　大規模言語モデルの仕組み

第8章　ディストピアか？

第９章 ユートピアを実現できるか？

おわりに

図表目次

第1章

ChatGPTはどのように使われているか？

1. ChatGPT の使い方をアンケート調査で見る

生成ＡＩはどのように使われているか？

生成ＡＩの利用は、驚異的なスピードで拡大している。たとえば、製薬会社の研究開発では、新しい薬の発見に利用するという、想像もつかないような使い方がなされている（第2章の3）。また、病気の自己判定や、法律関係の仕事への利用も検討されている（第4章）。さらに多くの、さまざまな用途への利用が試みられている。

こうした最先端での利用については、後の章で詳しく見ることとし、本章では、私たちが見聞きできる範囲で（つまり、日本人や日本企業の利用を中心として）、生成ＡＩがどのように使われているかを見ることとしよう。最初に、私が行なったアンケート調査を紹介する。そして、私がどう使っているかを説明する。

予想どおりの結果と予想外の結果

生成ＡＩがどのように使われているかを調べるために、note でアンケートを行ない、興味深い結果を得た（注1）。この結果を図表1－1に示す。

予想どおりだったのは、「外国語の資料の翻訳」と「長い文章の要約」が多かったことだ。予想外だったのは、第一に、「長い文書の校正」がそれほど多くなかったこと。第二に、「アイディア出し」が多かったことだ。私はこれまで、ChatGPTによるアイディア出しには、あまり期待していなかった。それが高い支持を得たので、考えを変える必要があるかと思うようになった。

なお、アンケートでは「実際に使っていること」と、「どれが効果的か」を聞いたのだが、両者の結果はほぼ同じだった（少なくとも、項目間の順位に関しては）。効果があるから使っているのだと考えれば、これは当然の結果と言える。このため、図表1－1には、「実際に利用している」ことの結果のみを示す。

外国文献の翻訳と要約能力が高く評価されている

外国語の自動翻訳はすでにいくつかのアプリがあるが、ChatGPTはそれより使いやすいし、また正確である場合が多い。しかも、要約は、これまでになかったサービスだ。だからこの面でChatGPTが多用されているのは、当然のことと言える。

私も、外国語（そのほとんどは英語）論文の翻訳と要約には、ChatGPTに大きく依存している。

（注1）https://note.com/yukionoguchi/n/n86ce0697b7de

図表1-1　ChatGPTの利用に関するアンケート調査（利用していること）

1. あなたは下記の仕事にChatGPTやBing、Bardなどの生成系AIを使ったことがありますか？（複数回答可）

64件の回答

資料：著者調査

とくに、長い論文の要約が得られるのは、大変便利だ。英語の論文の場合、読む価値があるとわかっていれば、じっくり取り組んで読む。しかし、その価値があるかどうかがわからない論文の場合には、全体を流し読みする必要がある。日本語ならそれが簡単にできるのだが、英語文献を速読するのは非常に難しい。だから、英語の長い論文だと、読まないで敬遠してしまうことがこれまでしばしばあった。

翻訳と要約によって読むかどうかを判断し、価値があるとわかれば、読む。これによって、私の情報収集能力は大いに増強した。アンケートの結果を見て、多くの人が、同じような使い方をしているとわかった。

これまで、言葉の壁は、日本人にとって大きな問題だった。英語圏の人々に比べて悪い条件のもとで仕事をせざるをえなかった。しかし、ChatGPT によって言葉の壁が低くなった。これによって、日本人の情報収集能力が高まることが期待される。ＡＩの先端分野では、これから中国語の文献が増えるだろう。いまから中国語を勉強するのは大変だが、ChatGPT がこの問題を解決してくれそうだ。

文章作成の利用が、文章校正より多い

私は、文章の校正作業には ChatGPT を多用している。音声入力の誤変換を直す必要があるからだ（本章の２）。ところが、アンケート結果を見ると、長文の校正利用はあまり多くない。資料

の要約と比べると、かなり大きな差がある。これは、おそらく音声入力があまり一般的に使われていないからなのだろう。

一方、文書作成の利用はかなり多い。文章の校正より多い。これには、文章を書くことに対する基本的な考え方の違いが影響しているのだろう。私は、ChatGPTが出力する文章には、嫌悪感を持つことが多い。したがって、文書作成では基本的に利用しない。校正を頼む際に字句の修正だけにとどめ、文章そのものを削除したり、新しい文章を追加したりしないようにと、プロンプトに書き込んでいるくらいだ。

アイディア出しの利用がかなり多い

最も意外だったのは、アイディア出しの利用が多かったことだ。私はLLM（大規模言語モデル）の構造からして、新しいアイディアを期待するのは、原理的に無理だと思っていた。

ただし、ずいぶん試しはしてみた。たとえば、書籍のタイトルに関して、あるいは、原稿のテーマに関して。しかし、たいしたものは得られなかった。アンケートでこれだけ支持を得たのは、意外な結果だった。

もう一つ意外だったのは、資料収集の利用が多かったことだ。質問に対して結果がすぐに得られるという点で、検索エンジンよりも使い勝手が良いと評価されているからだろう。

たしかにそうした効果がある。しかし、反面で、生成AIにはハルシネーション（幻覚）によって誤った情報を出力する危険がある。これは、利用上、大変大きな問題だ。この点については、もっと警戒心が必要ではないだろうか。

アイディア出しの具体的内容は、「タイトル」や「問題解決策」

前項のように「アイディア出し」の利用が多かったので、2回目のアンケートでは、具体的に、どのようなアイディアなのかを尋ねた。結果は、図表1－2に示すとおりだ。

「書籍や記事のタイトル」が一番多かった。これは、予想どおりの結果だ。「直面している問題の解決策・打開策」が意外に多く、2位になっている。「スピーチの内容」も意外に多く、3位だ。4位は「苦情に対する答え方」である。それに対して、商品やサービスのネーミング、キャッチコピーが意外に少ない。また、研究開発でもあまり使われていないようだ。これは、企業の利用でなく個人の利用を聞いているからかもしれない。

そこで、3回目のアンケートでは、企業での利用について尋ねた。結果を見ると、「社内文書の作成補助（校正など）」と「社内資料の整理や要約」の使い方が多い。これは、予想どおりの結果だった。ただし、「広告やウェブサイト記事でのキャッチコピーの作成」にもかなり使われているのは、やや意外な結果だった。ただし、3回目のアンケートは残念ながら回答件数が少なかったので、信頼性に問題があるかもしれない。

図表1-2　ChatGPTの利用に関するアンケート調査（アイディア出し）

質問1. ChatGPTなどの生成AIにアイディア出しを依頼して、うまくいった（あるいは、うまくいきそうな）例について教えてください。それはどのようなアイディアですか？（複数回答可）

22件の回答

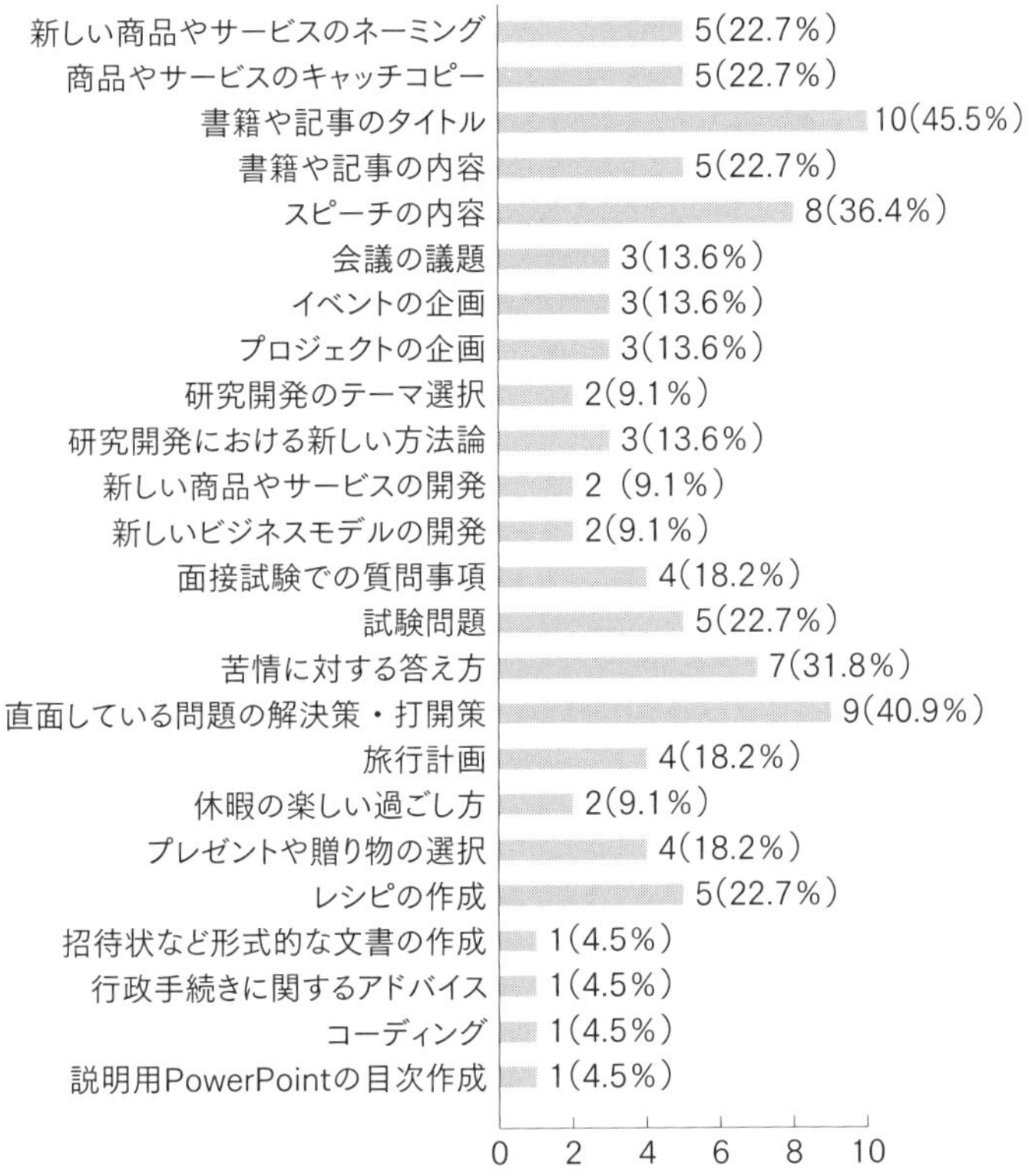

資料：著者調査

2．私は ChatGPT をどのように使っているか？

音声入力の誤変換校正が著しく簡単になった

つぎに、私が ChatGPT をどのように使っているかを説明しよう。私が使っているのは、主として、つぎの二つだ（注2）。第一は、文章の校正。具体的には、音声入力したテキストの校正と、文語・口語変換だ。第二は、文献や資料の収集、要約、翻訳だ。どちらも、毎日かなり使っている。ChatGPT の利用によって、私の仕事の生産性は著しく向上した。

これらについてもう少し詳しく説明するとつぎのとおりだ。

私が文章を作成する作業は、スマートフォンに音声入力をすることから始まる。Google ドキュメントに記入している。30分くらい散歩をすると、２０００字程度の文章ができる。これは、キーボードを用いて文章を書く場合に比べると、かなり速い。

（注2）私が ChatGPT をどのように使っているかは、つぎの書籍の第Ⅰ部で詳しく説明した。『「超」創造法』（幻冬舎新書、２０２３年９月）「第Ⅰ部　ChatGPT を使う」。

ただし、右に述べたのは、書きたい内容が頭の中にかなりはっきりした形で整理されている場合だ。アイディアが漠然とした形でしかない場合には、同じことを何度も話したり論理がつながっていなかったりすることが多い。だから、音声入力したままでは使い物にならない。またデータを調べたり分析したりする場合には、そのために多くの時間が必要になる。だから、テキストだけを出力したところで、完成した文章になるわけではない。

ところで問題は、このようにして作ったテキストには、誤変換が多く含まれていることだ。これを修正する必要がある。そのために、PCでGoogleドキュメントを開く。こうすると、Googleの音声機能の入力が使える。同時にキーボードも使えるので、効率的に直せる（注3）。

ただし全部を直さず、キーワードだけを直せばよい。最低限、漢字の部分を直せばよい（漢字はキーワードである場合が多いからだ）。ひらがなや句読点などは誤りが残っていても構わない。このテキストをChatGPTにかけて校正してもらう。きわめて高性能だ。ひらがな部分はほぼ完全に直してくれる。これまでは、40分かけて入力したものを直すのに1時間もかかっていたが、それが5分間ぐらいに短縮した。

資料収集にも使える

私がChatGPTを使っている第二の用途は、資料収集だ。

ChatGPTに直接聞くと、間違った答えを出す可能性がある（後述する「ハルシネーション」）。

しかし、ウェブ記事を読ませれば、その心配がない。そこで、たとえばつぎのように進む。

- ＊＊＊の問題について分析したレポートで、アメリカの大学、または研究機関によるものを提示させる。
- 提示された資料の中から、いくつかを指定し、翻訳と1000字程度の要約を求める。
- 読む価値があると判断した資料について、全文を翻訳させる。

なお、こうした利用をするためには、ウェブ記事を読む必要がある。

ところが、ChatGPTにはウェブ記事を読む機能がなかったので、BingやBardを用いる必要があった。ただし、ウェブブラウジングの機能が追加されて、一時中止されたあと、2023年9月に復活した。これについては、本章の最後で述べる。なお、2023年3月からは、GPT4でプラグインを利用できるようになったので、ChatGPTでこの利用法が簡単に使えるようになった。これについては、本章の3で述べる。

これら以外にも、つぎのような使い方をしている。

（注3）Googleの音声入力は性能は高いのだが、句読点や改行を認識してくれないという欠点がある（英語なら、認識する）。このため、キーボードを使えるPCで作業している。

第一は、理解が容易でないことについて、ChatGPT と何度も問答を繰り返して、説明してもらうことだ。たとえば大規模言語モデルの仕組みと動作は、きわめてわかりにくい。そこで、さまざまな観点から質問して教えてもらう。もう一つは雑談だ。とくに、映画や文学作品などについて話が合うと、大変楽しい。話がわかる人に初めて出会ったような気になる。

ChatGPT にできないこと

つぎのような仕事は、生成ＡＩに頼むことができないと私は考えている。

- テーマ選択など、アイディアの創出：こうした創造的な作業は、もともと ChatGPT などのＡＩにはできないことだ。アイディアを出してほしいと頼めば、何らかの答えを出す。しかし、たいしたものは期待できない。テーマの選択は、著者が行なうべき最も重要な仕事だ。
- データ分析：いまの ChatGPT は、スクレイピングができないので、データ分析はできない。スクレイピングとは、ウェブサイトにアクセスして、その中から望むデータなど一定の条件に合ったものを取り出す作業だ。将来はできるようになるかもしれない。できれば、仕事の効率が劇的に変わる。
- 丸投げによる文章作成：テーマを与えれば、ChatGPT は、それに従った文章を書いてくれる。しかし、私はこうした使い方をしていない。第一の理由は、そうして出てきた文章は私のものではないからだ。第二にハルシネーションによって、誤った情報が入っている危険があるからだ。第三に、私はChatGPTが出力する文章（とくに文語体の場合）が持つ特有の「匂い」に嫌悪感を抱いているからだ。

進歩が著しい

GPT3は、2022年には、日本でも利用可能になっていた。日本でもこれを使って文章を作成するサイトがいくつかあった。言葉を入力すると、それを含むような文章を作成してくれた。私も試してみたのだが、まるで使い物にならなかった。サービスを受けるのに長時間待たなければならないし、出てきた文章は支離滅裂だった。

2022年11月末に登場したChatGPTは対話型で、人間と同じような文章を書いてくれる。ここで大きな変化があったのだが、その後のわずか半年の間にも、GPT4の登場や、プラグインの利用など、大きな変化がいくつもあった。

今後もChatGPTの技術は大きく進歩していくだろう。本書で述べているのは、現在の技術を前提にしたものにすぎない。近い将来にこれが大きく変わることは、十分に考えられる。

「ハルシネーション」と能力の限界に注意

ChatGPTなどの生成AIをどの程度使えるかは、仕事の内容によってずいぶん違う。ただ、どんな仕事であっても、つぎの2点に注意する必要がある。第一は、生成ＡＩの出力が間違っている場合があることだ。これは「ハルシネーション」（幻覚）という厄介な現象だ。その出力を鵜呑みにすると、大問題を起こす危険がある。

ハルシネーションがなぜ起こるかは、必ずしも明らかではないが、ＬＬＭの本質に関連している。したがって、そのうち自然に解消されてなくなるというようなものではない。一定の改善は期待できるが、いつ、どのように解決できるかは不明だ。当面の課題としては、ハルシネーションが存在することを前提として、利用法を考えなければならない。

なお、２０２３年9月に復活した有料のＧＰＴ4サービスのウェブブラウジングの機能は、その後不安定な状況もあったが、継続している。これを適切に用いれば、ハルシネーションをかなりの程度避けることが可能かもしれない。

第二に注意すべきは、生成ＡＩの能力の限界だ。ChatGPTやBing、Bardなど「大規模言語モデル」（ＬＬＭ）と呼ばれているものの基本的な機能は、人間の自然言語を理解し、それに対して自然言語で応答することだ。つまり文章を理解し、書くことが基本的な機能なのである（これについては、第6章で詳しく説明する）。

大規模言語モデルのこのような仕組みからして、新しいアイディアの創造を行なうことはできない。普通に言われていることを言うのが限度だ。生成ＡＩがどのような仕事で優れた成果をもたらし、どのような仕事はできないかを、理解する必要がある。

すぐに使えるプロンプト集

ChatGPT などを実際に用いるには、それに対する指示（プロンプト）をどう書くかが重要な問題となる。長いプロンプトで詳細に指示を与えないと、望む結果を得られない場合が多い。それらをいちいちコマンド欄に書き込むのでは、面倒で、実用にならない。

そこで、頻繁に使うプロンプトの例文を、note に作成した。下に示す二次元コードで簡単に開くことができるので、ぜひご利用いただきたい。この二次元コードをＰＣのデスクトップ画面に貼り付けておけば、必要なときにすぐに開くことができる。

3. 検索エンジンより生成ＡＩのほうが使いやすい？

ChatGPT を用いれば、検索語が不明でも調べられる

検索エンジンが普及して、知りたい情報を簡単に探し出すことが可能となった。検索エンジンは、知の大衆化を加速させたのだ。検索エンジンが一般化した以降に生まれた世代の人々は、そ

の重要性を認識できないかもしれない。これが利用できなかった時代には、「知りたいことを知る」のは、そう簡単なことではなかったのだ。

しかし、検索エンジンには、二つの問題がある。第一の問題点は、検索語がわからないと検索できないことだ。ところが、ChatGPT を利用すれば、検索語が不明でも調査が可能だ。たとえば、「世襲」という言葉を忘れた場合、「王朝などが血縁関係で継承されることを何というのか？」と問えば、答えてくれる。

この方法は専門的な用語に関しても適用できる。コンピュータ関連の分野では専門用語が多いので、忘れることがある。そのようなときに、説明を加えると教えてくれる。これによって、知の普及がさらに進む可能性がある。

検索エンジンは、求める回答を示さないことも

しかし、ChatGPT には深刻な問題が存在する。それは、ハルシネーション現象によって、誤った情報を出力する可能性があることだ。このため、検索エンジンを完全には放棄することができない。

だが、検索語が明確である場合でさえ、検索エンジンから期待する結果を得られるとは限らない。前項で検索エンジンには二つの問題点が存在すると指摘したが、第二点がこれだ。

たとえば、ChatGPT に関する専門的な問題についての文献を検索エンジンで探しても、上位

に表示される記事は「ChatGPTを使ってみた」といった経験談や、基本的な使用方法に関する一般的な説明をしているものが主だ。あるいは、ChatGPTを利用したサービスの広告記事も多い。望むテーマに関する適切な文献を見つけることは、容易でない。

プラグインの導入で「幻覚現象」に対抗する

しかし、この問題に対処する方法が登場した。2023年3月から、従来の検索エンジンとは異なる手法でウェブ記事を探索することが可能になったのだ。ChatGPTによるプラグインサービスの活用によって、それができる（ただし、有料サービスの利用者に限定）。

Wolframは、学術的な知識を提供してくれるプラグイン。WebPilotとLink Readerは、ウェブを検索してくれる。これらのプラグインを用いることにより、取得する情報がより正確になる（注4）。ChatGPTの出力自体には誤情報が含まれる可能性がある。だが、プラグインによって示されるウェブ記事を閲覧すれば、そのような誤りは生じない。

例を挙げよう。『ChatGPTのプラグインでウェブ検索が可能になったため、従来の検索エン

（注4）2023年の5月に、GPT4の利用者に対しブラウジングという機能が導入されたのだが、有料サイトも読んでしまうという問題が指摘されて、使えなくなっていた。しかし。前述のように、この機能は、9月に復活した。

ジンに影響が出る』と述べている記事を示してください」との指示によって、五つの記事が提示された。それぞれに簡潔な説明が付されている。

ここで提供される記事はすべて英語だが、翻訳が可能だ。また、要約を要求することも可能だ。重要なのは、これらの記事の質が高かったことだ。非常に参考になった。私の情報収集能力が、格段に向上したと実感することができた。

ChatGPT のプラグインがどのような基準でサイトを選定しているのかは、明らかでない。しかし、検索エンジンで上位に表示されない記事が選定されることから見て、従来の検索エンジンとは異なる基準を用いている可能性がある。仮に ChatGPT がサイトの内容を精読し、それとユーザーの要求をマッチさせると仮定するならば、私たちは要求に見合った結果を得る手法を手に入れたことになる。これは非常に大きな変化だ。

Bing の急成長と Google の停滞

われわれは長い間、検索エンジンの上位表示に質の高い情報が存在するとの前提で情報収集を行なってきた。しかし、この信頼性に対して疑義が呈されている。

多くのウェブサイトがSEO（検索エンジン最適化）を行なっており、それが、検索結果の表示に影響を与える可能性がある。また、フィルターバブルの問題も無視できない（注5）。われわれは、これらの問題を踏まえつつ検索エンジンへの依存を続けてきたのだが、いま、新しい検索のアプローチが可能となっている。

Bingの登場以降の利用者増加は顕著であり、一方でGoogleの検索エンジン利用は微減または微増にとどまっている。これには、新しいサービスへの興味も影響しているのだろうが、Googleが提供する情報に対する不満も見逃せない。

事実、Bingの利用者数が減少したという情報は耳にしない。このような動向からすると、検索エンジン市場における構造的な変動が起きている可能性がある。

その影響で、従来のSEO対策も変わるかもしれない。これまでウェブコンテンツはアクセス数を増やすことが優先され、内容の質よりもタイトルやキーワードの選定が重視される傾向があった。このような状態は本末転倒だ。内容の充実が後回しになれば、質の低下は避けられない。

しかし、この状況が改善される可能性がある。

（注5）フィルターバブルとは、検索エンジンが利用者の検索履歴などを分析して、利用者の思想や行動特性などに合った情報を表示すること。

4．企業や自治体は、生成ＡＩをどう利用するか？

日本企業は生成ＡＩをどの程度利用しているか？

ChatGPTなどの生成ＡＩを、日本の企業や地方自治体はどのように捉え、どのように利用しているだろうか。これについては、いくつかの調査がある。

第一に、帝国データバンクが実施した「ChatGPTなどの企業における活用状況に関するアンケート調査」（２０２３年6月12日～15日）がある。

これによると、「業務で活用している」は、９・１％にすぎない。「業務の活用を検討している」が52％。その内訳は、「活用を具体的に検討していく」が14・２％、「現時点では活用イメージが湧かない」が37・８％だ。

他方で、「業務での活用を検討していない」企業が23・３％。内訳は「今後も活用するつもりはない」（17・７％）「業務での利用が認められていない」（５・６％）。「知らない」（４・３％）「わからない」（11・４％）という回答もあった。

企業の規模別に見ると、「業務で活用している」は「大企業」でも13・１％でしかない。「中小企業」は8・5％、「小規模企業」は7・7％だった。

第二に、野村総合研究所が実施した「アンケート調査にみる『生成AI』のビジネス利用の実態と意向」（2023年6月13日）がある。

これによると、ビジネスパーソンの生成AIの認知率は50％を超えている。ただし、「たしかに知っている」は15・3％しかいない。「聞いたことがある」が35・2％だ。年齢による差はあまりないが、30代が高い。「業務効率・生産性を高める」というイメージを持つ人が多い（46・2％）一方で、「仕事を奪う」イメージも22・1％ある。

生成AIのビジネス利用は、「実際に活用中」が3・0％、「トライアル中」が6・7％だ。

生成AIを利用している業務内容は、「挨拶文などの原稿作成が49・3％、記事やシナリオ作成が43・8％、要約が43・8％などだ。このように、創造的なコンテンツ作成というよりは、定型的でパターン化された出力を活用している場合が多い。

第三に、PWCによる「生成AIに関する実態調査2023」（2023年5月19日）がある。

全体の54％が生成AIを「まったく知らない」と回答した。認知層における生成AIの自社への活用に対する関心は、「あり」が60％、生成AIの存在は自社にとってチャンスか脅威かの問いには、チャンス派が脅威派の5倍と、活用に前向きだった。ただし、すでに実際に予算化して案件の推進に至っているケースは、認知層の8％程度しかなかった。

以上の結果を見て驚くのは、認知度の低さだ。実際の利用度も、思っていたより随分低い。

地方公共団体での利用状況

横須賀市やつくば市の発表などによると（注6）、神奈川県横須賀市は、2023年4月20日に、業務効率化の一環として実証実験を開始した。事業のアイディアづくりや文書作成に活かす。茨城県つくば市は、全職員を対象に庁内の業務で活用を始めた。

これら2市は、それぞれOpenAIとAPI（Application Programming Interface）の利用契約を結び、庁内で利用する自治体向けビジネスチャットサービス「LoGoチャット」を通じて職員に利用環境を提供する。横須賀市は「GPT3・5」のAPIを導入し、LoGoチャットからChatGPTのプロンプトを利用できる機能を内製で開発した。つくば市はLoGoチャットからGPT3・5のAPIを利用する際に、AIが文章生成で参考にしたと考えられる資料や出典を示す独自の機能を追加した。

期待されているのは、文書作成の効率化や、政策立案や標語の着想など創造性を要求される場面での補助的活用だ。横須賀市は「文書作成の所要時間が半分から数分の1に短縮できる可能性がある」とした。

静岡県は、2023年6月15日、県職員がChatGPTなど対話式の生成AIを業務で利用する上でのルールを定めたガイドラインを策定し、運用を始めた。業務効率化や行政サービス向上のため、積極的な活用を打ち出した。県がガイドライン作成に向けて、ChatGPTの認知度や利用意向を職員に尋ねたアンケートでは、「業務や人を限定した使用」「積極的に活用」など業務利用を求める職員が87％に上り、「使用すべきでない」は４％にとどまった。使用経験のある職員は42％いたが、業務での使用経験は７％でしかなかった。

時事通信社のアンケート

時事通信は、ChatGPTなどの生成ＡＩの活用について、47都道府県を対象にアンケートを実施した。２０２３年６月１日にアンケートを送付。22日までに全都道府県から回答を得た。

回答結果によると、福島、茨城、群馬、新潟の４県は業務への本格利用を開始。栃木、千葉、神奈川、富山、長野、静岡、兵庫、山口、高知、佐賀の10県は試験的に導入した。事務作業での使用が中心だが、茨城は観光ＰＲにも活用している。残る33都道府県は利用の可否や方法を検討中で、「利用予定はない」はゼロだった。

生成ＡＩを本格導入した４県は、いずれも使用上のルールを策定済み。全庁的な利用を認め、文書や資料の作成、要約、情報収集、施策のアイディア出しなどで活用する。

なお、２０２２年６月、総務省情報流通行政局地域通信振興課は、「自治体におけるＡＩ活用・

（注６）横須賀市「ChatGPT の全庁的な活用実証の結果報告と今後の展開」（市長記者会見、２０２３年６月５日）。Ｎｅｗｓつくば（２０２３年５月10日）。

導入ガイドブック」を公表している。これはChatGPT登場以前のものだが、先行団体におけるAI導入事例を紹介している。

生成AIとのAPI連携

生成AIの利用の方法は、いくつかある。

第一は、OpenAIなど生成AIサービス機能を提供している事業者から直接サービス提供を受けるパターンだ。この場合には、利用コストは、低く抑えられる。ただし、できることの範囲が限られる。また、外部のサービスにデータを直接渡すため、機密情報や個人情報の取り扱いに注意が必要だ。

第二は、生成AI事業者が提供するAPIを利用するパターンだ。API連携とは、ソフトウェアやアプリケーションを別のプログラムと接続し、機能の一部を共有することだ。自社で開発したシステムからAPI経由で生成AIの機能を呼び出すことによって、独自の仕組みを構築できる。フィルタリングなどの仕組みを組み込めば、機密情報や個人情報の流出を避けられる。ただし、開発コストがかかる。

今後に期待したいこと

以上を見ると、生成AIの利用法としては、文書作成の効率化に重点が置かれているようだ。

そうした利用は、たしかに有効だ。しかし、生成ＡＩのポテンシャルは、これよりずっと大きいと思う。もっと積極的な活用が考えられてもよいのではないだろうか？

横須賀市やつくば市などのようにＡＰＩ接続を行なって独自の仕組みを作る場合には、用途が大きく広がる。企業では、自動応答サービスなど、カスタマーサービスへの応用が行なわれるだろう。また、企業データベースへの接続も考えられる。

地方自治体においても、事務処理だけでなく、住民に向けた自動応答サービスの創設などが考えられる。たとえば、電話を通じてChatGPTに何でも相談できるような仕組みが考えられる。行政に関することだけではなく、プライベートなことも相談できるようにすれば、住民に対する大変大きな助けになるだろう。デジタル難民になった高齢者も、これを利用すれば、さまざまな問題が解決される。そうしたサービスを提供する地方自治体は、人気を集め、移住者が増えることになるだろう。おそらく電話回線がすぐにパンクしてしまうだろうが、こうした要請に応じて回線を増設するのは、十分に意味があることだ。

5. 生成ＡＩの影響は、教育ではすでに顕在化。日本では、企業利用が進まない

日本企業での利用は進まない

ChatGPTなど生成ＡＩの利用について、本章の4では、日本の企業や自治体の状況を見た。ここでは、日米の比較を行なおう。

これに関するアンケート調査がいくつか発表されている。ＭＭ総研が２０２３年5月下旬に実施したオンライン世論調査によると、アメリカのデスクワーカーの約半数はChatGPTに依存しているが、日本ではわずか７％だ（注7）。日本では、従業員３０００人以上の企業の９％がチャットボットを使用しているが、従業員１００人以下の企業では4％にすぎない。

また、ChatGPTについて「知らない」と回答したのは、アメリカでは9％でしかなかったのに対して、日本では46％もあった。アメリカの上級管理職の60％以上がこの技術に「強い関心」を持っていると回答したが、日本の管理職の多くは、安全に使用できるかどうかに確信が持てていない。

ChatGPTの用途は、定型的なメールの作成、会議議事録の要約、大量の情報の整理など。日本では、内部使用だけでなく、顧客向けのサービスのための生成型AIチャットボットに取り組んでいる開発者もいる。

本章の4で述べた帝国データバンク、野村総研、PWCなどによる調査では、すでに利用しているとの比率は1割未満だ。大企業だけを見ても13%程度でしかない。これは、MM総研の結果と同じような結果だ。

ところが、朝日新聞によると、主要100社へのアンケート調査で、生成AIを業務で「利用している」が41社、「利用を検討している」が50社に上った(注8)。利用内容は「社内業務の効率化」が37社、「テキストの要約・分析・添削」が31社、自動応答する「チャットボット」が27社である。ただし、ここで対象とされているのは、日本を代表するような超大企業だ。本章の4で見た一般の企業とは大きな差がある。ChatGPTを積極的に活用する大企業の生産性が今後高まり、他企業との格差が拡大する可能性がある。

(注7) *Nikkei Asia,* 2023年6月22日。
(注8)「生成AIを利用・検討　9割超」朝日新聞、2023年7月26日。

教育・学習での利用は進む

教育や学習面での利用はどうか？

アメリカでは、ウォルトン・ファミリー財団の委託を受けて、世論調査会社インパクト・リサーチ社が、２０２３年2月と4月に全国規模の調査を行なった。Government Technology のサイトにある記事によると、結果の概要はつぎのとおりだ。

幼稚園から高等学校までの教師の51％が、ChatGPT を使用していた。12歳から17歳の学生の約3分の1が、学校で ChatGPT を使用したことがある。12歳から14歳では、47％。教師の88％と生徒の79％が、ChatGPT は「プラスの影響があった」と述べた。

インパクト・リサーチは、6月23日から7月6日までの期間においても、同様の調査を行なった。The74のサイトにある記事（July 18, 2023）によると、結果の概要はつぎのとおりだ。

ほぼ誰もが、ChatGPT が何であるかを知っている。教師より親のほうが ChatGPT を好意的に見ている。親の61％が好意的であるのに対し、教師では58％だ。生徒では、54％にとどまっている。学校で ChatGPT を使用したことがあるとの回答の比率は、第1回の33％から42％に上昇した。教師が仕事でチャットボットを使用したことがあるとの回答の比率は、63％に上昇した。現在、約40％の教師が、少なくとも週に1回はそれを使用している。

「これはすべてを変える。ＡＩは教育と学習を根底から覆そうとしている」と、多くの人が考えている。保護者のほぼ64％が、教師や学校は学業での ChatGPT の使用を許可すべきだと考えている。容認するだけでなく奨励すべきだとの回答が28％あった。

日本では、東北大学の大森不二雄教授が、6月2日までの10日間、オンラインで調査を実施した（注9）。学生の32・4％が ChatGPT を使用したことがあると回答し、14％が課題に使用したことがあると回答した。ChatGPT を課題に使用した人のうち、77・5％がライティングの向上に役立ったと回答し、70・7％が思考力の向上に役立ったと回答した。

アメリカでの別の調査によれば、学生のほぼ90％が家庭教師より ChatGPT のほうが優れていると考えており、すでに30％程度の学生が家庭教師から ChatGPT に切り替えた。

ビジネスより教育での利用が先行している

以上で見たさまざまな調査から、おおよその傾向として、つぎのことが言えるだろう。

第一にビジネスにおいても教育においても、ChatGPT の利用比率は、アメリカのほうが日本より高い。

第二に、教育・学習における利用は、ビジネスによる利用よりも進んでいる。企業での利用は（とくに日本の場合には）これからという段階だが、教育・学習面における利用はすでにかなりの

（注9）「チャットGPT『使った』、学部生の3割　問題点避けつつ積極利用」朝日新聞、2023年6月8日。

程度進んでおり、現実の問題になっている。学習における利用は、個人個人がChatGPTを使えば、すぐにでもできることだ。そして効果が高い。だから利用が進んでいるのは当然だとも言える。それに対して、企業での利用の場合、いかなる業務に使えばよいかという問題がある。そして、利用のために体制を整えなければならない。その上、企業機密の漏洩といった問題もある。このため、すぐには使えないという場合が多いのだろう。

教育・学習体制に対する影響はすでに表われている

教育・学習面におけるChatGPTの影響は、日本でも、すでに現実のものとなっている（注10）。大学の入試体制（とくに、総合型・学校推薦型選抜）が大きな影響を受けるだろう。また就職試験におけるエントリーシートも、ChatGPTによる文案作成に対応することを迫られている（注11）。

そして、日本でもさまざまな学習用アプリがすでに公開されている。こうした動きは、学習塾、予備校、各種セミナー業などに対して、きわめて大きな影響を与えることになるだろう。

文部科学省は、中学高校の英語教育で対話型人工知能（ＡＩ）を導入する。生徒のレベルに応じて自動で受け答えするＡＩを使い、自宅学習で用いる（注12）。これによって、英語で話す力の底上げを図る。ChatGPTは外国語の勉強に大きな力を発揮する。また生徒のレベルに応じた学習ができるというのも重要な点だ。ただし、会話力増強を目的とする点には賛成できない。私は、英語を書く力の勉強が重要だと考えている。

日本はこの大変化に追いつけるか?

アメリカにおいては、ビジネスにおける大規模言語モデルの利用は、すでに現実の問題になっている。これを反映して、サービス提供者側の動きも活発になっている。

２０２３年６月27日には、米データブリックスがモザイクというスタートアップ企業を約13億ドル（約１８７０億円）で買収すると発表して話題になった。モザイクは比較的小さな企業が利用できる大規模言語モデルの開発を行なっている。

また、Ｍｅｔａは、同年7月18日、オープンソース大規模言語モデル「Llama 2」の提供を開始した。研究と商用向けに無償で提供する。これにより、開発者は独自の生成ＡＩをMicrosoft Azure やWindows 上で開発し、アプリケーションに組み込めるようになる。

これに対して、先に述べたように、日本企業の関心のなさが憂慮される。大規模言語モデルの開発面において日本が後れをとっていることはいかんともしがたいが、それをさまざまな実務に活用することは十分に可能なはずだ。それにもかかわらず、関心もないし、利用への体制づくり

（注10）「高校生が考えるチャットGPT『宿題に使える』『暴力性助長』」朝日新聞、２０２３年7月6日。
（注11）「チャットGPT、就活にもじわり　志望書文案、30秒で」朝日新聞、２０２３年6月26日。
（注12）「中高英語に対話型ＡＩ」日本経済新聞、２０２３年7月25日。

も進んでいない。

日本でも、大規模言語モデルの開発は進んでいる。日本電気株式会社（NEC）は、日本語大規模言語モデルを独自に開発したことを2023年7月に発表した。情報通信研究機構（NICT）は、日本語に特化した大規模言語モデルを開発したと同年7月に発表した。また、プリファード・ネットワークスは同年6月、大規模言語モデルの開発に着手したと発表した。

このような動きは歓迎される。ただし、それと並んで、利用の体制づくりも重要な課題だ。デジタル化の遅れが日本経済停滞の原因であると、しばしば指摘される。いま、大規模言語モデルの活用において後れを取れば、日本のデジタル敗戦は決定的なものになってしまうだろう。

教育・学習関連では、現在の体制を早急に見直し、改革する必要がある。ChatGPT の利用については文部科学省がガイドラインを出しており、いくつかの大学もガイドラインを出している。ただ、そこでの基本方向は、ChatGPT のみによるレポート作成を禁止することが主眼になっている。しかし、こうしたことだけで済むわけではない。先で述べた入試改革に見られるように、現在の体制を根本から考え直す必要がある。教育の問題については、第5章で再述する。

6. ChatGPTは、企業活動に根源的な大変革をもたらす

教育に大きな影響

ChatGPTをどのような分野に使えるかについて、企業の利用に絞ったものについては第2章で述べることとし、ここでは、より広い範囲での利用を論じた文献を紹介する。

本章で見たように、日本企業へのアンケート調査を見ると、大企業であっても、文書作成事務の効率化などが考えられているにすぎない。しかし、大規模言語モデルは、企業活動に根源的な大変革をもたらす。そして、世界の企業は、新しい方向をめざして、すでに準備を始めている。

この問題については、すでに多くの論文が発表されているが、ここでは、つぎの二つの論文の分析を紹介する。

〈論文1〉 A Survey of Large Language Models (https://arxiv.org/pdf/2303.18223.pdf).

〈論文2〉 A Review of ChatGPT AI's Impact on Several Business Sectors.

分野別に見ると、どちらの論文も、教育、ヘルスケア、金融への影響が大きいとしている。論文2は、法律関係も挙げている。活動別に見ると、カスタマーサービス、科学研究、DXのためのプラットフォームなどが影響の大きい分野として指摘されている。

論文1は、教育は大規模言語モデル(LLM)から大きな影響を受けるとする。LLMは、論文の執筆や読解のアシスタントとして機能する。論文2も同様の見解で、教育界はChatGPTから多大な利益を享受する。学生個々のニーズに対応したパーソナライズされた学習を可能とするからだ。さらに、教師は、学生の作業を自動的に採点することにより、貴重な時間を節約することが可能となると指摘されている。

医療、ヘルスケアでのさまざまな利用

医療も、二つの論文が重要性を指摘する分野だ。

論文1は、LLMが、医療アドバイスの相談、メンタルヘルスの分析、報告書の簡略化など、さまざまな医療タスクを処理する能力を持つことを指摘する。ただし、LLMは誤情報を発生する可能性があること、商用サーバに患者の健康情報をアップロードするとプライバシーの問題が生じうることを指摘している。

論文2は、ChatGPTは、自然でリアルな回答を提供し、患者との対話をより容易で効果的にできるとする。一般的な健康ケアニーズについての助言を提供するために使用することができる。

初回の相談を提供し、必要に応じて専門家に紹介することで、アクセスポイントとして機能する。また、患者との相互作用から得た大量のデータを解析し、医療意思決定を支援する。

ユーザーは自身の健康リスクを理解することができ、病院に行くことなく医療助言を得たり、全体的な健康についての情報をもとにした決定を下したりすることが可能となる。また、医療緊急事態が発生しているかどうかを判断することも可能で、ユーザーは事態が悪化する前に対応することができる。

金融での顧客サービスの充実

金融も、二つの論文が挙げる重要な分野だ。

ただし、論文1は、現在すでにさまざまな取り組みが行なわれていることを紹介したあと、LLMによる不正確な、または有害なコンテンツの生成が、金融市場に対して重大な影響を与える可能性があるため、金融分野でのLLMの応用には潜在的なリスクを考慮する必要があると指摘する。論文2は、金融でChatGPTを利用すれば、顧客サービスのコストを削減し、顧客に対して迅速かつ正確な回答を提供できるとする。

銀行は、顧客と担当者との間の会話を自動化することにより、単純な質問への回答や口座情報の確認等の単調なタスクにかかる時間を削減することができる。問い合わせへの回答を自動化することは容易であり、これにより、担当者はより複雑な問題に集中することができる。

ChatGPTは、顧客の金融ニーズや目標に基づいてパーソナライズされたアドバイスや提案を提供できる。顧客のリスク許容度や目標に従って、パーソナライズされた投資アドバイスを提供し、賢明な決定を下すのを支援する。

法律関係や科学研究での利用

論文1は、法律関係を挙げる。法的文書の分析、判決の予測、法的文書の作成などで、LLMは強力な能力を示している。パフォーマンスをさらに向上させ、長文の法的文書の理解や複雑な法的推論で先進的なパフォーマンスを発揮するために、特別に設計された法的プロンプトエンジニアリングが使用されている。こうして、LLMは法律専門家の助手として役立つ。しかし、著作権問題、個人情報漏洩、バイアスと差別などの問題を引き起こす可能性がある。

論文1は、LLMが知識集約型の科学的タスクを処理する能力を示しており、優れた能力と広範な科学知識を持っているとする。

文献調査段階では、特定分野の進展を包括的に把握するのに役立つ。研究アイディアの発生段階では、LLMが興味深い科学的仮説を生成する能力を示すことがある。データ解析段階では、LLMがデータを自動的に分析する手法に使用されることがある。

論文執筆段階では、LLMが科学的執筆の支援に貢献する。既存のコンテンツの要約や執筆の磨き上げなど、さまざまな方法で執筆を支援することができる。さらに、LLMは、エラーの検出を通じて、論文の自動レビュープロセスにも役立つ。

ただし、信頼性のあるアシスタントとしての役割を果たすためには、生成されたコンテンツの品質を向上させること、有害な幻覚を減らすことが必要だ。なお、ここで引用されている論文M. Haman and M. Skolnik, "Using chatgpt to conduct a literature review." Accountability in research, 2023. は、フェイクが多すぎるので、文献レビューに使えないとしている。

カスタマーサービスを充実させ、DXのためのプラットフォームとなる

論文2においては、ChatGPTがカスタマーサポートを補佐する重要性が述べられている。ChatGPTはよくある質問への自動回答を提供し、応答時間を短縮し、カスタマーサービス担当者の作業負荷を軽減する。また、積極的な提案を行ない、顧客がより迅速に解決策を見つけることを支援する。これにより、顧客は必要な支援を素早く得ることができる。

ChatGPTは、顧客の質問を理解し、関連情報を特定し、可能な解決策を提案し、最も適切な回答で応答する。さらに、複数のデータソースにアクセスして、顧客の問い合わせに対してより完全な回答を提供する。

論文2は、「デジタルトランスフォーメーションのためのプラットフォーム」という視点も提供している。この技術は、顧客との関係の管理や内部運用の改善を自動化する方法を提供する。たとえば、この技術を用いて、顧客サービスを自動で行なうことが可能になる。また、市場の変化

するニーズに対応する新しい製品やサービスを考案する。そして、企業の製品改善を支援する。また、ソーシャルメディアプラットフォームなどの異なるソースから収集されたリアルタイムデータに基づいて、新しい戦略を企業が練ることを可能とする。

第1章のまとめ

1 生成AIがどのように使われているかについて、アンケート調査を行なった。一番多い使い方は、予想どおり「資料の要約や翻訳」。なお、「アイディア出し」の使い方が、予想より多かった。

2 私の場合は、音声入力で作成したテキストの誤変換校正が多い。また、資料の翻訳・要約にも大きく頼っている。

3 ChatGPTやBingを利用してウェブサイトを閲覧すると、従来の検索エンジンを凌ぐ適切な情報を得られる場合がある。情報収集の方法が、劇的に変わる可能性がある。

4 企業の生成AI利用に関する調査結果を見ると、実務に導入している企業や地方自治体は少数派だ。しかし、今後は、API接続などを用いて、利用が大きく拡大することが期待される。企業では、カスタマーサービスや企業データベースへの接続、自治体では、住民向けの相談サービスなどが考えられる。

5　教育体制や入試制度が大きく変わろうとしている。ビジネスでの利用は、アメリカでは進むが、日本では進んでいない。日本がこの大変化についていけるのかどうか、心配だ。

6　ChatGPTなどのLLM（大規模言語モデル）は、どのような経済活動に、どのような影響を与えるかについては、いくつかの文献がある。どの文献も、教育、ヘルスケア、金融にとりわけ大きな影響を与えるとしている。さらに、カスタマーサービスの拡充や、DXのプラットフォームとしての意味も重要だとしている。

第2章

企業はChatGPTをどこまで使うことができるか？

1. ChatGPTはビジネスモデルを変える

ChatGPTはどれほど重要なのか?

企業は、ChatGPTなどの大規模言語モデル(LLM)をどのように活用することができるだろうか? 第1章で見たように、日本でも、企業に対するアンケート調査がいくつか行なわれている。その結果を見ると、メールの校正や社内文書の作成などが挙げられている場合が多い。要するに、事務作業の効率化だ。

たしかに、そうした利用法は可能だ。しかし、大規模言語モデルの潜在能力は、それよりはるかに大きい。アメリカの企業は、すでにそうした潜在能力の活用に向けての探索を始めている。

その結果、ChatGPTなどの大規模言語モデルによって仕事を奪われてしまうのではないかと、多くの人が不安を抱いている。これまでの自動化が単純労働に影響を与えたのに対して、ChatGPTは知的な労働を代替することになるので、これまでとは性質が違う問題が生じようとしている。

この問題を考えるためには、企業がChatGPTをどのように使うかを考える必要がある。企業が使おうとしている分野で必ず失業が発生するわけではないが、少なくとも大きな変化が生じることは間違いないからだ。では、企業はどのような分野で使うのか？　大規模言語モデルの潜在力は、単なる事務効率化を実現するだけでなく、企業のあり方に大きな影響を与える。したがって、これは、労働者にとって問題であるだけでなく、企業にとっても重大な問題だ。

いまが準備開始の時

この問題に関しては、すでに多くの調査や論文が発表されている。その一つに、ボストン・コンサルティングのマシュー・クロップ氏による興味深い論考がある（注1）。以下では、これを紹介しつつ、今後の企業利用について考えることにしよう。

この論考は、まず、企業がいますぐ準備を始めるべきことを指摘している。ChatGPTを企業システムやプロセスに組み込むには、新しいスキルの育成や労働力配置の大幅な変更が必要であり、企業がこれらすべてを消化するには時間がかかるからだ。

進歩のペースを考えると、ビジネスリーダーは、ChatGPTのテクノロジーを２０２４年以内に企業システムに組み込む準備を整えるべきだと考えるだろう。すると、まさにいまが、社内イノベーションを開始する時期だということになる。組織とテクノロジーが改善し、進化し続ける

（注1）Matthew Kropp, "ChatGPT: Getting down to business", LinkedIn, 2023. 2.10.

につれて、小規模かつ早期に実験を開始して経験を積み、より複雑で影響の大きいユースケースに取り組むべきだとしている。

すでに行なわれていること

クロップ氏の論考によれば、企業がすでに採用しているのは、つぎのことだ。

- 電子メールやワードプロセッサなどに、AI機能で強化された自動化プロセスを組み込む。
- 顧客サポートと販売のための会話型チャットボット。顧客は待ち時間がゼロになり、ほとんどの問題は人間に頼らずに解決できるため、労力が大幅に節約される。
- マーケティング機能の効率化
- プレゼンテーションや契約書などの内部文書の検索。これは、企業内の知識伝達の向上に大きく貢献する。ChatGPTは、企業ドキュメントにつき、要約された形で質問に答える。

今後2〜5年以内に現実になる可能性のあるもの

- 全社規模の仮想アシスタントが、すべての内部プロセスと対話するための会話型インターフェースを提供する。このシステムは、電子メールの作成と管理、人事データの管理、財務レポートの作成など、さまざまなタスクを処理できる。

- 100%自動化されたカスタマーサポートが、24時間365日、待ち時間ゼロで、人間との対話と区別できない会話形式で顧客の問題に対処できる。
- ChatGPTに自然言語で質問すると、複雑なデータの合成に基づいて、予測、分析などが自動的に返される。これによって、ダイナミックなリーダーシップの意思決定が可能になる。
- 完全に自動化された販売：顧客の関心に即座に会話で応答する、個別にパーソナライズされた電子メールや電話での対応が可能になる。

ビジネスモデルの再構築が必要になる

こうした変革を実現するには、ビジネスモデルの再構築が必要になる。AIをビジネスワークフローに組み込むために、働き方を変革する必要がある。そして、ChatGPTを労働力の新しい構成員として考える必要がある。その結果生じる労働生産性の破壊的な変化を受け入れない企業は、潜在的に壊滅的なコストとイノベーション上の不利な立場に陥るだろう。

なお、すべての労働者がChatGPTに取って代わられるわけではない。手を使ってタスクを実行する「デスクレスワーカー」は、当面は失業を免れる。また、多くのアプリケーションは人間を代替するのではなく、むしろ生産性を向上させる。

日本企業の経営者は、改革をリードできるか？

クロップ氏の論考から予測される将来の姿は、つぎのようなものだ。まず、対顧客サービスの自動化が、急速に広がる。そして、これに関連した仕事で失業が発生する。すでにコピーライターの失業が深刻な問題になっている。日本でも、いずれこの問題が顕在化する可能性が高い。

そして、2年から5年後に、ビジネスモデルの変革を伴うような変化が生じる。それは、単にシステムエンジニアだけの話ではなくて、企業全体の問題だ。こうした変化にうまく対応できる企業と対応できない企業の差が拡大するだろう。

この実現には人材の開発が必要なので、日本企業がこれに対応できるかどうか、大いに心配だ。日本企業がどの程度の変革をできるかは、経営者がこの問題についてどの程度の理解を持ち、改革をリードできるかどうかにかかっている。問題なのは、こうした改革が可能であり、かつ必要であるという認識を持った経営者が、日本には見られないことだ。

こうした面での企業改革が進まなければ、世界企業と日本企業の差は、決定的なものになってしまう危険がある。気がついてみたら、世界の企業はまったく変わってしまい、日本企業が取り残されたということになりかねない。ＩＴ革命において生じたのと同じことが、あるいは、それよりもっと大きな問題が生じる可能性がある。

2．生成AIの価値の75％以上が「顧客対応」「営業／マーケティング」で生じる

生成AIで営業が大きく変わる

マッキンゼー・アンド・カンパニーが2023年6月14日に発表した「生成AIがもたらす潜在的な経済効果：生産性の次なるフロンティア」は、生成AIの企業利用動向についての調査を行ない、生成AIの活用が企業の生産性をどの程度引き上げるかを分析している。この調査は、日本企業にとっても貴重で参考になるものと考えられるので、本節でその概要を紹介しよう。

生成AIの活用によって生産性が上昇し、新たな経済価値が生み出される。生成AIは、知識労働、とくにこれまで自動化が難しかった意思決定や、コラボレーション・コミュニケーションを伴う活動に最大の影響を与える可能性がある。

生成AIが価値を提供できる上位の職種は、「顧客対応」「営業／マーケティング」「システム開発」「研究開発」だ。この四つで生成AIが提供する価値の75％以上を占める。「営業／カスタマーサービス」部門では、57％の業務が生成AIや既存テクノロジーによって自動化可能だ。顧

客とのやり取りをサポートし、マーケティングと販売のためのクリエイティブコンテンツを生成し、自然言語プロンプトに基づいてコンピュータコードをドラフトする。

生成AIは、すべての業界に大きな影響を与えるが、銀行、ハイテク、ライフサイエンスは、生成AIが最大の影響を与える可能性のある業界だ。銀行業界全体で、生成AIの技術は、年間20兆3340億ドル～40兆6660億ドルの追加価値を生み出す。

マーケティングでの利用

生成AIは、マーケティングおよび販売機能で急速に普及している。この技術を使用すると、個々の顧客の関心、好み、行動に合わせてパーソナライズされたメッセージを作成することができる。また、ブランド広告、見出し、スローガン、ソーシャルメディアの投稿、製品の説明などの最初の下書きを作成することができる。

具体的には、つぎのとおり。まず、パーソナライズされた電子メールなどのクリエイティブコンテンツを生成するために生成AIが利用される。そのようなコンテンツを生成するコストが削減され、収益が増加する。また、生成AIを活用したチャットボットは、顧客の言語や場所に関係なく、顧客の複雑な問い合わせに対して即座にパーソナライズされた応答を提供できる。生成AIは、より多くの顧客からの問い合わせへの応答を自動化し、これまではカスタマーケアチームが人間のエージェントによってのみ解決できた問い合わせを引き受けられる。生成AIは、人間がサービスする連絡の量を最大50％ほど削減できる。

生成ＡＩをマーケティングに使用することによる潜在的な運用上の利点はつぎのとおり。アイディアの考案やコンテンツの作成に必要な時間を大幅に短縮する可能性がある。また、検索エンジン最適化（ＳＥＯ）を通じて、より高いコンバージョンとより低いコストを実現する。生成ＡＩは、マーケティング機能の生産性を、５〜15％程度増加させることができる。

内部の知識管理システム

このレポートで注目すべきは、内部の知識管理システムへの影響が、つぎのように指摘されていることだ。

内部の知識管理システムに革命を起こすことによって、組織全体に価値をもたらす可能性がある。生成ＡＩの自然言語処理の優れたコマンドは、人間に質問して継続的な対話を行なうのと同じ方法でクエリ（データの抽出や更新などの処理要求を表わす文字列）を作成することによって、保存された内部知識を従業員が取得するのに役立つ。

これによって、従業員は、関連情報にすばやくアクセスできる。このため、より多くの情報に基づいた意思決定を迅速に行ない、効果的な戦略を策定することができる。

対顧客サービス

生成ＡＩを活用したチャットボットは、顧客の言語や位置に関係なく、複雑な顧客の問い合わせに即座に個別の応答を提供することができる。人間がサービスを提供する連絡量を最大50％削減する可能性がある。

売り上げの増加：顧客やその閲覧履歴のデータを迅速に処理する能力のため、この技術は、顧客の好みに合わせた製品の提案や取引を特定することができる。さらに、顧客との会話からの洞察を得て、何を改善できるかを判断し、エージェントに指導することで、品質保証とコーチングを強化することができる。生成ＡＩを顧客対応に適用することによって、30％から45％の範囲で生産性を向上させる可能性がある。これは、きわめて大きな効果だ。

小売り業界

生成ＡＩは、マーケティングや顧客対応などの機能のパフォーマンスを向上させることで、小売業界（自動車ディーラーを含む）において約３１００億ドルの追加価値をもたらす可能性がある。生成ＡＩは、小売業および消費者向け製品における主要な価値ドライバーをサポートする。これにより、年間収益の１・２％から２・０％の生産性を向上させる。

生成ＡＩは、カスタマーサービス、マーケティングとセールス、在庫およびサプライチェーン管理などの主要な機能を自動化することによって、プロセスを合理化することができる。チャットボットを通じてパーソナライズされたマーケティングキャンペーンを提供することで、顧客価値の管理を向上させる大きな機会もある。

生成ＡＩは、小売業者に、製品の提供を改善するための洞察を収集し、顧客基盤、収益の機会、全体的なマーケティングの投資収益率を増加させることができる。また、マーケティングおよびセールスのためのコピー作成を容易にし、クリエイティブなマーケティング・アイディアを作り出すのを助け、消費者リサーチを迅速化し、コンテンツの分析と作成を加速させることができる。

ｅコマースの成長は、効果的な消費者との対話の重要性も高めている。小売業者は、既存のＡＩツールと生成ＡＩを組み合わせることで、チャットボットの機能を強化し、人間のエージェントの対話スタイルをより良く模倣することができる。たとえば、顧客の問い合わせに直接応答する、注文を追跡またはキャンセルする、割引を提供するなどだ。繰り返しのタスクを自動化することで、人間のエージェントは複雑な顧客の問題の対応や文脈に基づく情報の取得により多くの時間を割くことができる。生成ＡＩツールは、新しいデザインを迅速にデジタルで作成することで、製品の新しいバージョンを開発するプロセスを強化することができる。

なお、Amazon.com は、２０２３年9月13日、サイトで販売する商品の説明文を生成ＡＩで作れるようにすると発表した。これにより、中小小売業者の負担を減らすことができるという。

銀行業界に大きな影響

生成ＡＩは、銀行業界に大きな影響をもたらす可能性があり、業界の年間収益の２・８％から４・７％の生産性向上を実現することができる。さらに、顧客満足度の向上、意思決定と従業員の経験の向上、そして詐欺やリスクの監視を通じたリスクの減少も可能だ。

生成ＡＩは、規制の監視やデータの収集など、リスク管理における低付加価値のタスクを引き受けることによって、すでに人工知能がもたらしている効率性をさらに向上させる可能性がある。

銀行は、知識と技術を活用した業界であり、マーケティングや顧客業務などの分野で既存の人工知能の応用から大きな利益を得ている。生成ＡＩアプリケーションは、規制やプログラミング言語のような分野でテキストが主流であり、多くのＢ２Ｃおよび中小企業の顧客を持つ顧客対応業界であるため、追加の利益をもたらす可能性がある。

銀行は、フロントラインとソフトウェア活動の両方で、生成ＡＩの潜在能力を把握し始めている。つぎの三つの使用法が、その価値の潜在性を示している。

⑴従業員のパフォーマンスを向上させる仮想の専門家

ポリシーや研究、顧客との対話などの独自の知識でトレーニングされた生成ＡＩボットは、常に利用可能な、深い技術サポートを提供することができる。現在、フロントラインでの仕事は顧客との対話に費やされているが、フロントラインの従業員にもデータへのアクセスを提供することで、顧客体験を向上させることができる。

(2)生成ＡＩは、バックオフィス業務に関連するコストを削減する可能性がある

顧客対応のチャットボットは、ユーザーのリクエストを評価し、トピックや難易度、顧客のタイプなどの特性に基づいてそれらに対応する最適なサービス専門家を選択することができる。生成ＡＩアシスタントを通じて、サービス専門家は、製品ガイドやポリシーなどの関連情報を即座にアクセスして、顧客のリクエストに対応することができる。

(3)生成ＡＩツールは、ソフトウェア開発の広いカテゴリーで役立つ

まず、入力コードや自然言語を介してコードを作成でき、開発者がより迅速に、そして摩擦を減少させてコーディングするのを助けることができる。生成ＡＩの自然言語翻訳能力は、レガシーフレームワークの統合と移行を最適化することができる。

生成ＡＩツールは、既存のドキュメントやデータセットを利用して、コンテンツ生成を大幅に効率化することができる。これらのツールは、特定のクライアントのプロファイルや履歴に合わせてパーソナライズされたマーケティングやセールスコンテンツを作成することができる。

研究開発での潜在的な可能性

研究開発における生成ＡＩの潜在的な可能性は、よく認識されているとは言えない。しかし、

この技術は全体のR&Dコストの10~15%に相当する生産性をもたらす可能性がある。ライフサイエンスや化学産業は、生成デザインとして知られるR&Dに生成AI基盤モデルを使用し始めている。新薬や材料の開発プロセスを加速させる。

エントスというバイオテクの製薬企業は、生成AIと自動合成開発ツールを組み合わせて、小分子治療薬をデザインしている。この手法は、大規模な物理製品や電気回路など、多くの他の製品の設計にも適用することができる。

生成AIは、製品デザイナーが材料をより効率的に選択し使用することでコストを削減するのに役立つ。また、製造のためのデザインを最適化することもでき、物流や生産のコスト削減につながることがある。なお、製薬産業への影響はとくに重要なので、次節で詳しく述べることとする。

「変化は革命的」とのコンセンサス

マッキンゼーの報告の基本的な点は、生成AIが企業活動の本質に大きな影響を与えるということである。これは、本章の1で紹介したクロップ氏の見方と同じものだ。

そして、これは、本書の基本的な見方とも同じものである。本書は、生成AIがもたらす影響は、きわめて大きく、「革命的」なものだと考えている。

マッキンゼーのレポートも含め、これまで見てきた文献で、変化が革命的であるということに関しては、コンセンサスが形成されていると考えてよいだろう。

さらに、その利用がどの分野でなされるかが重要だ。

マッキンゼーのレポートの特徴は、分野ごとの利用について、包括的な分析を行なっていることだ。そして、金融、研究開発、カスタマーサービスでの利用が進むとの結論を出している。この見方は、第1章の6で紹介した二つのサーベイ論文の見方と同じものである（なお、金融業での実際の導入状況については、本章の4で述べる）。

マッキンゼーのレポートでとくに注目されるのは、研究開発での意義を強調していることだ。実際、創薬の分野では、すでに成果を上げつつある。これについては、次節で述べる。

なお、以上では、業務にいかなる影響を与えるかという観点からみた。生成ＡＩの影響としては、雇用に与える影響の問題も重要だ。これについては、第7章の3で論じる。

3. ChatGPTで創薬が革命的に変わる

創薬に革命的な変化

本章の2で紹介したマッキンゼーの報告書が指摘しているように、製薬業界はChatGPTなどの生成ＡＩによって最も大きな影響を受ける産業の一つだ。生成ＡＩは、薬の発見と開発に大きな貢献をし、製薬および医療製品産業に大きな影響を及ぼす可能性がある。

製薬会社は、収益の約20％をＲ＆Ｄに費やしており、新しい薬の開発には平均で10年から15年かかる。したがって、Ｒ＆Ｄの速度と品質を向上させることで大きな価値を生み出すことができる。たとえば、「リード識別」という薬物発見プロセスのステップでは、研究者が潜在的な新薬のターゲットとなる分子を識別する（注3）。このステップには、ディープラーニング技術を使用しても、数カ月かかることがある。ところが、生成ＡＩを使用することで、このステップを数週間で完了することができる。

創薬は、特定の疾患を治療するための有望な薬剤候補を見つけて、製品化することだ。これは、複雑で時間と費用のかかるプロセスだ。化合物の実験を重ね、ふるいにかける。

従来の創薬方法は、試行錯誤に頼るところが多かった。成功するまで何年もかかる。数十年かかる場合もある。Gartner の２０１０年の調査によると、創薬から市場投入までの平均コストは約18億ドルであり、そのうち約3分の1を創薬コストが占めていた。また、３～６年もの期間を要していた（注4）。

ＡＩ技術を導入すれば、大量のデータを利用して、貴重な洞察力と予測力を生成することによって、このプロセスを合理化することが可能になる。生成ＡＩはすでに、さまざまな用途の医薬品を設計するために活用されており、製薬会社に創薬のコスト削減と期間短縮を実現する大きな機会をもたらしている。

コロナワクチンでＡＩが活躍

新型コロナウイルスのワクチンは、感染拡大からわずか1年足らずで接種が始まった。経口治療薬も、感染拡大から2年程度で実用化に至った。こうした迅速なワクチンや創薬の背景には、ＡＩの飛躍的な進化がある。

新型コロナウイルスのワクチンの主流となっているのは、「ｍＲＮＡ」タイプのワクチンだ。このワクチンの開発では、複雑なタンパク質の構造を解明する必要があり、従来は非常に手間のかかる作業だった。しかし今回は、この過程でＡＩが活用され、非常に短期間でタンパク質の構造が解明できるようになった。オミクロン型については、ワクチン開発に必要なデータは2週間以内に利用可能となり、3カ月程度で新しいワクチンを出荷できた。

（注3）創薬のスタートとして用いる化合物を、「薬のタネ」という意味で「シード化合物」と呼ぶ。創薬研究者は、シード化合物の構造をさまざまに変えたものを合成し、スクリーニングを進めていく。こうして見つかった、ある程度活性が高く、今後の展開が見込めそうな化合物を「リード化合物」と呼ぶ。リード化合物が得られたら、その構造を少しずつ変えた化合物を合成し、徐々に優れた化合物を限定していく。しかし、その組み合わせはきわめて多く、創薬は、長期間を要する上に成功率が低いプロセスだった。

（注4）Gartner, 2023. 9.4.

医療記録やゲノム情報など臨床データセットの急成長により、製薬会社による創薬でのＡＩ活用を支援する大きなチャンスが生じている。

ChatGPTは、潜在的な創薬標的の特定を促進する。タンパク質、遺伝子、その他の生体分子間の複雑な相互作用を分析することにより、薬物介入の潜在的な標的を迅速に特定することができる。これによって、研究者は最も有望な候補に集中して取り組むことができ、貴重な時間とリソースを節約することができる。創薬の効率と有効性が大幅に向上し、最終的には世界中の患者の医療結果が向上することが期待できる。

さらに、ChatGPTは、臨床試験の設計を支援できる。これにより、研究者はより効率的で的を絞った治験を設計できるようになり、最終的に新薬の迅速な承認につながる可能性がある。さらに、以前の臨床試験からの膨大な量のデータを分析するＧＰＴ４の能力は、将来の研究に役立つ傾向とパターンを特定するのに役立つ。

モルガン・スタンレーは、今後10年間で、医薬品開発の初期段階におけるＡＩの活用が、50の新しい治療法につながる可能性があり、その価値は５００億ドル（約6兆８０００億円）以上に相当するとの見通しを示している。Gartnerは２０２５年までに新薬や材料の30％以上が生成ＡＩ手法を用いて体系的に発見されるようになると予測している（現在は０％）。

製薬会社とテクノロジー企業の共同体制

ただし、以上の方法を用いるには、ＡＩ技術を使って膨大なデータを解析する必要がある。しかし、多くの製薬会社はこれを自社で実行する体制が整っていない。そこで、製薬会社とＡＩテクノロジー企業との共同体制づくりが行なわれている。

世界中の製薬会社が、医薬品の開発から市場投入までの期間短縮やコスト削減のために、テクノロジーに精通したベンチャー企業と共同研究をしたり、自社でデータサイエンティストを採用したりしてＡＩの導入を進めている。

マイクロソフトは、すでにこの分野で多くの取り組みに着手している。たとえば、スイスの製薬大手ノバルティスと提携して生成ＡＩを創薬に適用し、医薬品開発の効率化・迅速化を進めている。膨大な化合物の中から新薬候補を見つけるのがねらいだ。「創薬テクノロジー」の市場規模は１２００億ドル（約16兆３０００億円）と言われる（注５）。

研究プラットフォーム・テラ（Terra）

創薬における ChatGPT の潜在的なアプリケーションは、製薬業界を越えて広がっている。学

（注５）日本経済新聞、２０２３年３月10日。

術研究者やバイオテクノロジー企業も、新しい治療標的の特定や革新的な医薬品の開発に役立つため、この技術から恩恵を受けることができる。さらに、GPT4を使用して膨大な量の科学文献を掘り起こすことができるため、研究者はその分野における最新の発見やブレークスルーを常に把握することができる。

「テラ（Terra）」は、マサチューセッツ工科大学（MIT）、ハーバード大学、マイクロソフト、ベリリーが共同開発した安全な生物医学研究プラットフォームだ。このツールを使うことで、あらゆる研究者は自分のデータをアップロードし、一般公開されているデータセットにアクセスし、計算ツールを使い、世界の科学者と協力できる。

武田薬品によるAI創薬

武田薬品工業は、2022年12月13日、米創薬ベンチャーのニンバス・セラピューティクス（ボストン）との間で、皮膚病の一種「乾癬《かんせん》」の治療薬候補を開発中の子会社ニンバス・ラクシュミ（同）の全株式を取得することで合意したと発表した（注6）。買収額は40億ドル（約5500億円）で、2023年2月に買収が実行された。

この薬は、無数の候補薬からAIによって選択されたものだ。AIを使うことによって、薬を選別する期間を6カ月に短縮することができた。2023年中に治験の最終段階に進む予定で、成功すれば、AIの助けを借りて誕生した世界初の薬の一つになると言われる。ピーク時の年間売上高が5000億円に達する可能性もあると推計されている。

独バイエルとスイスのロシュ・ホールディングスと武田薬品は、米リカージョン・ファーマシューティカルズと協力し、機械学習を使用した創薬を進めている。一方、英アストラゼネカは、ベネヴォレントAIおよびイルミナとパートナーシップを結んでいる（注7）。中外製薬は、全社業務に生成AI「ChatGPT」を導入すると発表した（注8）。リード化合物（注1参照）の特定など、創薬の成功率向上をめざす。

4. 日本の金融機関はどう使うか？

銀行での利用

日本の金融機関での利用状況を見てみよう。まず銀行である。

（注6）武田薬品工業、2022年12月13日。
（注7）*Bloomberg*, 2023. 5.11.
（注8）日刊工業新聞、2023年6月30日。

三井住友フィナンシャルグループは、従業員を支援する対話ソフトを独自開発し、業務に導入すると、4月に発表した。具体的には、「特定の企業の融資の判断に必要な資料を作ってほしい」などと入力すると、財務情報などをもとに草案を作成する。また、社内の経理手続きなども、質問すると具体的な方法を回答してくれる。入力した情報については、外部からアクセスできないネットワークで管理するため、セキュリティは確保されるとしている（注9）。

みずほ銀行は、全社員の業務で対話型ＡＩ（人工知能）の利用を始めた。利用するのは国内の社員およそ3万5０００人で、セキュリティは外部からアクセスできないネットワークで管理することで確保したという（注10）。

三菱ＵＦＪ銀行では、一部の行員が稟議書の作成にChatGPTを活用している。ChatGPTの活用によって、稟議書作成に必要な情報を収集する。また、ChatGPTに稟議書の内容を添削してもらうことで、記入漏れや間違いを防ぐ（注11）。3メガバンクは、情報流出対策に万全を期すため、一般に公開されている対話型ＡＩの使用は禁じている（注12）。

証券会社での利用

大和証券は、全社員約９０００人を対象に、ChatGPTの利用を開始した。「Azure OpenAI Service」を利用し、情報が外部に漏れないセキュリティ環境により、すべての業務に利用可能になる。以下のような効果が期待できるとしている（注13）。

- 英語などでの情報収集のサポートや、資料作成の外部委託にかかる時間の短縮や費用の軽減
- 各種書類や企画書の文章作成に用いることで、お客さまと接する時間や企画立案など、本来業務に充てる時間の創出
- 幅広い社員が利用することによる、活用アイディアの創出

野村證券は、企業向け自然言語理解AIソリューションを提供するAllganize Japan株式会社が運営するAIチャットボット「Alli」を資産管理アプリ「OneStock」に導入した。「Alli」導入後、FAQの回答精度度が向上し、また、運用体制も以前の3名からほぼ1名体制へと変化した（注14）。

（注9）NHK、2023年4月11日。
（注10）テレ朝news、2023年6月27日。
（注11）東洋経済オンライン、2023年7月24日。
（注12）「対話型AI、メガバンクも活用へ　でも一般向けChatGPTは厳禁」朝日新聞デジタル、2023年5月5日。
（注13）日本経済新聞、2023年4月18日。
（注14）Allganize Japan株式会社、2023年7月6日。

みずほ証券は、みずほ証券版ChatGPTである「MOAIチャット－Build on ChatGPT」を全役職員を対象に導入した。これは、マイクロソフトが提供するAzure OpenAI Serviceを活用し、セキュリティ基準やコンプライアンス要件に基づき開発したもの。想定活用ケースは、つぎのとおり（注15）。

・議事録やレポートなどの文章作成
・マニュアル／ルールなどの社内文書検索
・プログラミングコード生成、開発業務効率化
・マーケティングやコンプライアンス業務での活用

保険会社での利用

住友生命保険は2023年7月、職員約1万人が利用できるChatGPTのシステムを導入した。職員がChatGPTを活用しやすいように、「文章要約」や「新企画提案」など用途ごとに命令文のひな形を用意し利用を促している。7月13日の運用開始後、約1万人の職員のうち実際に利用した人は約1000人で、週に約1万件のメッセージ入力があるという。

以上を見るかぎり、社内利用が主だ。ただ、対顧客業務も少しずつ始まっている。T＆Dフィナンシャル生命保険は、ITコンサルティング会社のエスタイルと組み、コールセンターの業務

効率化に向けChatGPTなどの大規模言語モデル（LLM）を活用した実証実験を始めた。顧客との会話のやり取りをAIが自動で文字起こしするシステムを導入している。オペレーターは電話を切った後、文字起こしの文を確認して要約し、管理職に送る作業がある。この文の要約作業をLLMに任せる。また持病がある人の保険引き受けが可能か否かの判断にもLLMの活用を検討する。現状は回答に半日から1日かかる場合があるが、即答できるようになる。

三井住友海上火災保険は、2023年5月中旬に1万人を超える社員がChatGPTを使える環境を整えた。ところが、導入直後の1～2週間が利用のピークで、「その後は週を追うごとに利用者が減っている（注16）。東京海上日動火災保険は、2023年4月19日、対話型AI（人工知能）サービス「ChatGPT」を活用した独自システムを導入すると発表した。保険の補償内容や手続きなどの照会に対する回答案を自動生成するシステムで、6月から試験運用する（注17）。

日本の金融機関は、対顧客業務に使わない

以上で見たように、日本の金融機関での主たる利用対象は、対顧客業務ではなく、内部的な事

（注15）みずほ証券、2023年度第1四半期　決算説明資料、2023年7月28日。
（注16）日刊工業新聞、2023年8月15日。
（注17）読売新聞オンライン、2023年4月19日。

務処理になっている（とくに、銀行の場合）。本章の2で見たマッキンゼーのレポートなどで、金融での応用可能性が高いとされたことに比べると、消極的な姿勢が目立つ。

金融機関は顧客の重要な個人情報を扱うので、対顧客業務への利用に慎重になるのはもっともだ。ただし、それだけでは、生成ＡＩの持つ潜在力を実現せずに終わってしまうことになる。

日本の金融は、かつては銀行オンライン・システムの導入に見られるように、新技術の活用で世界のトップを走っていた。しかし、その後は、世界の金融業が大きく変わっていくなかで、旧態依然たるビジネスモデルにしがみついて、世界の大勢から大きく立ち後れている。

いま、世界の金融機関が、生成ＡＩという新しい技術の活用方法を求めてさまざまな試みを始めている。日本の金融機関がこの流れを無視すれば、金融サービスの高度化という大きな潮流に取り残されることになるだろう。

5. ChatGPTに積極的な企業、否定的な企業

三井化学の新しい取り組み

三井化学は、ChatGPTとIBM Watsonを融合することで、三井化学製品の新規用途探索の高

精度化と高速化の実用検証を開始した。製品の売り上げやマーケットシェアの拡大をめざす。

同社の発表によると、つぎのとおり。２０２２年６月から、IBM Watson による新規用途探索の全社展開をスタートしているが、これまでに、20以上の事業部門が、１００以上の新規用途を発見した。

事業部門の一つのテーマにつき、５００万件以上の特許・ニュース・ＳＮＳといった外部のビッグデータを IBM Watson へデータ投入し、さらに、三井化学固有の辞書も構築した。たとえば、ＳＮＳデータの分析では、「ある地方電鉄の車中で、カビ臭い」という投稿が多いことを見つけ出し、従来の営業手法では思いつかなかった電車内の防カビ製品の販売活動へとつなげた。

ただ、この方法では、新規用途の発見には、時間がかかる。そこで、ChatGPT を活用することによって、ニュース、ＳＮＳなどのテキストデータから、注目すべき新規用途を生成・創出し、さらに、注目すべきとする根拠や外部環境要因を明らかにして、新規用途探索の精度とスピードをアップさせることで、新規用途の発見を激増させる。

さらに、ChatGPT の一つであるマイクロソフトの Azure OpenAI を活用した実用検証を開始した。Watson の実用に慣れていないユーザーでも、短時間で新規用途が発見可能となった。これまで IBM Watson を活用して発見してきた新規用途の情報を ChatGPT へフィードバックすることで、新規用途創出の自動化の実現をめざす。

日立製作所の取り組み

日立製作所は、2023年5月15日、生成ＡＩを手がける専門組織を設立した。データサイエンティストやＡＩ研究者と、社内ＩＴ、セキュリティ、法務、品質保証、知的財産など業務のスペシャリストを集結し、活用を推進する（注18）。

今後、この組織が中心となって、文章の作成・要約や翻訳、ソースコード作成など、日立グループ32万人のさまざまな業務で生成ＡＩの利用を推進し、生産性向上につなげるノウハウを蓄積する。さらに、顧客に対しても、安心安全な利用環境を提供する。

同社が発行しているウェブ記事によれば、つぎのような利用が可能だ（注19）。

まず、企画を立てるとき、資料のたたき台を作ることができる。また、セールスやマーケティングでの活用も可能。ＥＣサイトのロゴや商品紹介文を大量に生成させて、反応が一番いいものを残すという利用法も可能。満足度調査などのアンケート集計も、まとめてくれる。そうなるとデータサイエンティストは、もっと高度な分析に取り組める。また、製品の設計資料などの過去の資産を、生成ＡＩに聞いて簡単に呼び起こせれば、生産性や品質の向上をめざせる。

若手社員の育成にも使える。日立製作所では入社2年目まで指導員が付くのだが、指導員の属人的な力量に加えて生成ＡＩによって日立全体の知見を共有できるようになると、人財育成も加速する。若手社員は指導員や上司に直接質問できないことも多いが、生成ＡＩに聞く若手社員が出てきているという。先輩に聞く前に、生成ＡＩに相談してから先輩に質問するのだ。

もう一つの記事では、若手社員の活用事例を紹介している（注20）。つぎのような事例が挙げられている。

- メールや資料の構成を決めるのに使う。
- わからない単語が業務中に登場した際に利用する。検索エンジンも同じことができるが、ChatGPTなら、サイトを選ぶ手間や、サイトをくまなく読む手間が省略できる。
- 文章の誤謬《ごびゅう》を確認する。
- ビジュアル（画像）の作成。言語からイメージの具現化が簡略化され、数日かかっていたキービジュアルの完成が数時間に短縮した。

パナソニックなどによる積極活用

以上のほかにも、ChatGPTを積極的に活用しようという企業は多い。

（注18）日立製作所、ニュースリリース、2023年5月15日。
（注19）「ChatGPTで話題の『生成ＡＩ』とは？　働き方を変える最新技術」2023年8月28日。
（注20）「軽い気持ちで使う、何度も試す　デジタルネイティブ世代と生成ＡＩ」2023年8月28日。

パナソニックホールディングスは、ChatGPTの技術を活用し、社員の質問に答える独自のAIアシスタントを開発し、国内のすべてのグループ会社で活用できるようにした。サイバーエージェントは、日本語に特化した独自の大規模言語モデルを開発。NTTも独自の生成AIを開発した。NECは、ChatGPTを社内業務、研究開発、ビジネスで積極的に利用する方針を発表した。

三菱電機は、間接部門の国内グループ全従業員に生成AIを導入し、文書作成やプログラムコードの生成などで業務効率と生産性向上を図る。ライオンは、ChatGPTを利用した自社開発のAIチャットシステムを国内従業員約5000人に向けて公開し、さまざまなシーンで業務効率化を図る。

否定的な企業が多い

以上のように積極的に取り組んでいる企業がある反面で、大多数の企業は消極的、ないしは否定的だ。BlackBerry Japanが発表した、企業・組織におけるChatGPTへの向き合い方についてのグローバル調査結果は衝撃的だ（注21）。

それによると、日本の組織は72%が、職場でのChatGPTやその他の生成AIアプリケーションを禁止し、あるいは禁止を検討している。回答者のうち58%は、そのような禁止措置は長期的または恒久的なものであり、顧客や第三者のデータ侵害、知的財産へのリスク、誤った情報の拡散が禁止措置の判断を後押ししていると回答している。

一方で、大多数の企業は、職場での生成ＡＩアプリケーションの利点についても認識しており、イノベーションを高め（54％）、創造力を強化し（48％）、効率性が高くなる（48％）と回答している。77％が娯楽用アプリの禁止によって複雑なＩＴポリシーが作成され、ＩＴ部門に追加の負荷がかかっていると回答している。

BlackBerryは、「仕事の場での生成ＡＩアプリケーションの禁止は、潜在的なビジネス上の利益の多くを打ち消してしまうことにもなりかねない」と呼びかけている。

6．日本でも進むChatGPT利用の社外向けサービス

ChatGPTを利用した社外向けのサービス

社外向けのChatGPT関連サービスを開発したり、提供を計画したりする日本企業も登場している（注22）。

（注21）BlackBerry Japan、２０２３年９月７日。

丸紅は、稟議書や社内向け資料の作成を支援するサービスの提供に向けて、検証を始めた。大日本印刷（ＤＮＰ）は、文章の作成、要約、対話、情報検索、分析などの支援を検討する。

三菱電機は、電話などの話し言葉で認識した文章を書き言葉に置き換え、公的に通用する文章を作る機能の実現をめざす。２０２４年中に提供を始める。弁護士ドットコムは、チャットによる相談サービスや弁護士向けリサーチ支援サービスに生成ＡＩを活用する。２０２３年秋以降に提供する。

メルカリは、対話形式でやり取りしながら、フリマアプリ内で適切な商品を探し出す機能を導入する。２０２３年度中に導入する。

新規株式公開（ＩＰＯ）の準備を効率化するサービスも増えている（注23）。Uniforce（ユニフォース）は、必要な作業などを提示するクラウドシステムを開発した。質問に対して、ChatGPT が回答する機能も追加された。このシステムによって、ＩＰＯ準備の時間が従来から4割減らせた例もあるという。

つぎのような例もある（注24）。UiPath（ユーアイパス）日本法人が発表したシステムは、生成ＡＩを組み込んでおり、自然言語を入力すると、業務自動化のワークフローを生成する。Helpfeel が開発した ChatGPT を活用する業務ツールは、顧客からの問い合わせ情報をもとに、新たなＦＡＱのタイトルと本文を自動生成する。

Poetics が開発したツールは、ChatGPT と連携して、会議内容の要約、重要な商談情報の抽出、商談の進め方に対するアドバイスなどを提供する。

ログラスが開発したシステムは、生成ＡＩを活用して、質問を入力すると経営分析データを表示する。

続々と登場する ChatGPT 連携のチャットボット

ChatGPT との連携によって、従来より幅広い問い合わせにチャットボットが対応できるようになる。これによって、質問者の問題解決率が高まり、対応者の負荷が軽減する。
チャットボットは、登録されているシナリオに沿って質問や問い合わせに対応するツールであり、シナリオに登録されていない質問には答えられない。しかし、ChatGPT とチャットボットを連携させることで、ChatGPT で見られるさまざまな会話をチャットボット上でも行なえるようになる。スピーディーな返答が可能となり、より高度なやり取りができるようになる。
ChatGPT 搭載チャットボットをウェブサイトに設置すれば、商品やセールの説明、支払いのサポートなど、購買を促す接客ができる。人間のような接客が可能になり、顧客が買い物を楽し

（注22）「生成ＡＩ事業化　日本企業も着々」日本経済新聞、２０２３年８月18日。
（注23）「ＩＰＯ準備　ＡＩで効率化」日本経済新聞、２０２３年８月16日。
（注24）「生成系ＡＩがビジネス支援　業務効率化で生産性向上へ」日本経済新聞、２０２３年７月23日。

める。これにより、売上アップやリピーター増加につながる。

こうして、ChatGPT 搭載チャットボットは、社員や顧客からの問い合わせ業務を自動化するために役立つ。担当者の代わりに ChatGPT が顧客の質問意図をくみ取って問題を解決できれば、社員は他の重要な業務に集中できる。

また、ChatGPT 搭載チャットボットは、顧客とのやり取りなど自然言語の理解や情報抽出、要約などのタスクを自動的に記録・分析できる。大量のデータを有効活用すれば、新たな顧客ニーズを拾い出したり、強い戦略を立てられる。日本でもすでに多数のサービスが提供されている。

「ChatGPT 連携チャットボット」という検索語で検索すると、多数のサービスがヒットする。たとえば、anybot、Chat Plus、DECA for LINE、FirstContact、hitobo、KARAKURI、Kasanare、OfficeBot powered by ChatGPT API、Support Chatbot、TalkQA、シゴラクAI、等々。

富士通のAIチャットボット「CHORDSHIP」も、ChatGPT との連携を実現した。CHORDSHIPが質問者からの問い合わせに答えられなかった際、「ChatGPT で調べる」を選択すると、ChatGPT に同じ質問を投げかけることができる。

API接続で広がる用途

APIとは、異なるソフトウェア間で情報をやり取りするための仕組みだ。ChatGPT API で使うと、ChatGPTの能力を自分のアプリケーションに組み込み、プログラム上でChatGPTを使用できるようになる。これにより、AIの開発に必要な時間とリソースを大幅に削減することができる。訓練済みモデルを利用できるため、ゼロからAIを訓練する必要がない。これにより、開発者はより重要なタスクに集中することができる。

さまざまなニーズに合わせて、カスタマイズされたAIソリューションを作ることができる。たとえば、教育、エンターテイメント、ヘルスケアなど、さまざまな目的のためにChatGPT APIを活用することが可能になる。

ChatGPT APIの具体的な利用

ChatGPT APIを使って作れる具体的なアプリケーションとしては、すでに述べたもののほかに、つぎのようなものがある。

- 教育用アプリケーション：ChatGPT APIを使って、学生が学習を深めるのを助ける教育用アプリケーションを作ることができる。これにより、学生は自分のペースで学習することができる。なお、具体的な教育用アプリについては、第5章の1を参照。
- プラグイン機能：特定のタスクをより効率的にこなすことができる。

7. 生成ＡＩとスマートコントラクトによる完全自動化企業

ブロックチェーンによる自動化

これまで見てきたように、生成ＡＩはさまざまな仕事を自動化する。また、ＡＩは自動運転などさまざまな場面で、これまで人間が行なっていた仕事を自動化する。

ところで、これとは別の意味での自動化も可能だ。それは、ブロックチェーンを用いる自動化である。これは企業の経営的な決定を自動化するものだ。ＡＩによる自動化とブロックチェーンによる自動化とを組み合わせれば、完全に自動化された組織を作ることができる。

ブロックチェーンは、人間の仕事を自動化するという点でＡＩと似ているが、別の技術だ。ＡＩが自動化するのは、主として人間の労働だ。たとえば、工場のオートメーションなどである。これまで労働者が機械を操作していたものを、ロボットが代替する。あるいは、いままでは人間が自動車を運転していたが、それが自動運転車になる。生成ＡＩは、ホワイトカラーの仕事を自動化する。

ブロックチェーンが実現するのも、ある意味では自動化だ。しかし、それは人間の労働を代替するのではない。ブロックチェーンが代替するのは、経営者や管理者の仕事だ（注25）。

これをもっと進めて、企業の経営を、人間の管理者なしにブロックチェーンを用いて自動化しようという構想がある。これが、DAO（Decentralized Autonomous Organizarion 分散自律型組織）、あるいはDAC（Decentralized Autonomous Company：分散自律型企業）と呼ばれる組織だ。

スマートコントラクトとは？

ブロックチェーンを用いれば、書き換えができない記録を残せる。これとスマートコントラクトを組み合わせると、事業を自動的に運営することができる。

ここで、「スマートコントラクト」とは、コンピュータのプログラムの形に書くことができる契約のことだ。ある条件で作動するプログラムをブロックチェーンに登録し、条件が満たされた際に作動させる。そして、その結果をブロックチェーンに自動的に記録する。これに従えば、コンピュータが自動的に契約を実行できる。

こうして、契約の交渉、締結、執行などをコンピュータが自動処理し、その記録をブロックチェーンに記録するのである。これによって、複雑な契約を、短時間で、低いコストで実行できる。

（注25）野口悠紀雄『ブロックチェーン革命』（日本経済新聞出版、2017年）第9章。

この仕組みを用いて最初に行なわれた事業がビットコインだ。「ビットコインプロトコル」というルール（手順）に従って、取引が進められる。

これに従って、ビットコインの送金者がコインの正当な持ち主であるかどうか、保有額以上の送金をしていないか、二重払いしていないか、などをチェックしている。これによって、中央集権的な管理者なしに、取引を行なうことが可能になる。

仮想通貨の取引では、「マイナー」と呼ばれるコンピュータが作業に参加しており、これは通常の企業における労働者の役割を果たしている。したがって、この仕組みには労働者がいる。ただし、経営者・管理者は存在しないのである。

ビットコインからDeFiへ

送金や決済という事業では、ほとんどがルーチン的な決定だ。だから、スマートコントラクトとブロックチェーンの組み合わせには最も適したものだ。金融的な取引には、これに限らず、ブロックチェーンに適しているものが多い。さまざまな経済的な取引をスマートコントラクトの形にし、ブロックチェーンで運営することが可能だ。

いま行なわれている事業には、必ず管理者や経営者がいる。しかし、管理者や経営者のやっている仕事が、本当に人間でなければできないことなのかどうか、疑問だ。ビットコインが明らかにしたことは、ルーチンワーク的な決定であれば、コンピュータに任せられるということだ。かなり複雑な内容であっても、コンピュータは処理できる。本当に人間でなければ判断できないことは、それほど多くない。

ビットコインなどの仮想通貨（暗号資産）をさらに推し進めたものが、「DeFi」（Decentralized Finance：分散型金融：ディーファイ）と呼ばれる新しい金融の仕組みだ（注26）。これは、ブロックチェーンを用いて、決済、融資、証券、保険、デリバティブ、予測市場などの金融取引を行なう仕組みだ。銀行のような中央集権的金融機関なしに金融サービスを提供する。

また、これとは別に、保険での応用も試みられている。たとえば、P2P保険というものが登場している。これは既存の保険会社を介さずに、少人数の保険加入者が直接につながってルールを設定し、新規加入者の受け入れ、見積もり、請求、払い戻しの実行などの事務を、スマートコントラクトとブロックチェーンによって自動的に処理するものだ。

また、パラメトリック保険というものもある。これは、事故の発生に応じて、すぐに保険金を支払う保険だ。フライト遅延が確認された場合に、スマートコントラクトによって自動的に保険金の支払いが行なわれる保険が、すでに提供されている。

金融取引では、取引が完結するまでに多数の仲介機関が存在する場合が多い。これらの機関は独自のデータベースを用いて、取引の整合性や勘定の照合を行なっており、それに多大なコスト

（注26）野口悠紀雄、『データエコノミー入門』（PHP新書、2021年）第6章。

がかかる。ブロックチェーンを用いれば、コストが下がり、時間がほとんどゼロにまで短縮する。

柔軟なスマートコントラクトに

現在のスマートコントラクトは硬直的だ。ところが、生成ＡＩを用いて、これをより柔軟な仕組みにすることが可能と考えられる。スマートコントラクト内のパラメータを、状況に応じて変化させていくのだ。そうなれば状況の変化に応じた意思決定が可能になるだろう。硬直的な行動でなく、状況に対応して行動を変えていくことが可能になる。

そのためには、ＤＡＯが置かれた状況を正確に知ることが必要だ。このために、生成ＡＩが企業のデータベースにアクセスし、必要に応じてスマートコントラクトの内容を調整していくのである。

完全自動化された企業

スマートコントラクトとＡＩによる自動化を組み合わせれば、完全に自動化された企業を作ることができる。たとえば、自動化されたタクシー会社というものを考えることができる。

まず、この会社の車両は自動運転車なので、運転手が存在しない。こうしたタクシー事業は、アメリカ・カリフォルニア州ではすでに実際に運営されている。ところで、この会社では、さまざまな経営上の決定が必要になるだろう。たとえば、車両をどの時点で定期点検に回すか、あるいは、車両を新車に交換するかなどの決定だ。また、事故の処理なども重要なことだ。

そのような決定は、第3章で述べるデータドリブン経営で行なわれる。生成AIが企業のデータベースにアクセスし、必要なデータを取り出す。そして、さまざまな分析を行なって、決定を行なう。そして、ほとんどの決定を、人間を経由することなしに行なうことができるだろう。

同様のことが、他のさまざまな業種で可能になるだろう。たとえば、流通業務は、オンラインのものだけでなく、リアルな店舗も含めて、そのほとんどがDAO化できるだろう。

人間でなければできない仕事は何か?

現在の生成AIの技術では、すべての決定を人間に代わって行なうのは、とても無理だろう。たとえば、事故が生じたときの処理だ。ごく軽微なものであれば処理できるだろうが、人身事故などについては、人間を介さずに自動的に行なえるとは思えない。したがってこの面の自動化は、簡単には進まないだろう、
ただし、現在人間が行なっている仕事のかなりの部分を自動化できることも間違いない。とりわけ、現在は中間管理層によって行なわれている仕事の多くが、以上で述べたようなDAOに置き換えられる可能性は、十分にある。
そして、企業は、少数の最終意思決定者と、データ処理に関わる高度の専門家によって運営されていくことになる可能性がある。

これは、営利企業だけのことではない。行政についても言えることだ。現在と比較にならないほど少人数で、現在よりずっと優れたサービスを提供できるようになることは、十分考えられる。とりわけ、さまざまな対住民サービスについて、それが言える。そうなると、組織の運営に要する人間は、著しく減少することになる可能性がある。

このような社会において、人々の雇用と所得をどのように維持することができるかは、決して簡単な課題ではない。

第2章のまとめ

1 ChatGPTは、事務の効率化に寄与するだけでなく、企業のビジネスモデルを変える力を持っている。日本企業がそうした大変化に対応できるかどうかは、経営者が改革をリードできるかどうかにかかっている。いまが準備開始の時だ。

2 マッキンゼーの調査によると、「顧客対応」「営業／マーケティング」「システム開発」「研究開発」の4分野で、生成ＡＩが提供する価値の75％以上を占める。業界別では、小売り、銀行、研究開発などが重要だ。

3 ChatGPTは、創薬に革命をもたらしている。そして、新しい治療薬や治験の探索を加速させている。

4　日本の金融機関も、業務にChatGPTなどの生成ＡＩを取り入れようとしている。ただし、その用途としては、社内文書作成など、事務処理の効率化が主として想定されている。生成ＡＩは、対顧客業務で本来の威力を発揮するはずだが、情報流出のおそれから、そうした用途は想定されていない。しかし、それでは、金融サービス高度化の流れから取り残されることにならないか？

5　日本企業も、ChatGPTの積極的な活用に向けて動き出した。ＳＮＳデータの分析を製品の販売活動へとつなげた例もある。その反面で、大多数の日本企業は、情報セキュリティの観点から、ChatGPTの活用に消極的、ないしは否定的だ。

6　ChatGPTのＡＰＩ接続で、個別利用に最適化したアプリを作ることができる。社外向けのさまざまなChatGPT関連サービスを開発する企業が増えている。

7　生成ＡＩとブロックチェーン技術を組み合わせると、人間が関与せず自動的に運営できる組織が可能になる。そのような世界において、人間が果たすべき役割は何か？

第 3 章

データドリブン経営が可能になるか？

1．生成ＡＩ利用の本命は、意思決定の支援

日本で考えられているのは、単純業務の効率化

これまで見たように、企業にとっての生成ＡＩの用途として、つぎのものが考えられる。

①単純業務の効率化
②カスタマーサービスの改善
③意思決定の支援

日本企業で利用が考えられているのは、①の内容が多い。たしかに、生成ＡＩの利用によって、書類作成、メールの校正や作成、データ分析など、日常業務における多くのタスク（それらの多くは、単純反復作業）を効率化することができる。これによって、従業員は繰り返しや手作業を必要とするタスクから解放され、より高度な問題や、創造的な作業に時間を割くことができる。だから、こうした利用法はたしかに必要だ。しかし、これだけでは、生成ＡＩの潜在力のほんの一

部を使ったことにしかならない。

②の用途も、企業が関心を抱いている分野だ。生成ＡＩは、顧客の問い合わせに対応したり、製品やサービスに関する情報を提供したりすることができる。これにより、企業は365日24時間、高品質のカスタマーサービスを提供することができる。電話の自動応答などでは、日本でも、すでにさまざまなサービスが登場している。地方自治体も、今後は、住民対応でこうした利用を進めていくだろう。

ところが、③の意思決定支援については、日本では、これまでのところ、関心がない企業がほとんどだ。政府や自治体も同じだ。生成ＡＩは、大量のデータを分析し、それを解釈して有用な情報を生成する能力を持っている。これは組織の意思決定支援において、きわめて重要な役割を果たしうるはずだ。したがって、これに関する利用可能性を探ることが、本来は重要な意味を持っている。

生成ＡＩは、意思決定をどのように支援するか？

生成ＡＩが組織の意思決定を支援する方法としては、つぎのようなことが考えられる。ここでは企業の場合を想定しているが、同じことは、政府や自治体についても言える。

- データ分析：大量のデータを迅速に分析することによって、データに隠されている複雑なパターンを見いだす。これによって、競争環境、市場動向、顧客行動などについての情報と洞察を得る。その結果は、新技術や新製品の開発、マーケティング戦略策定などの意思決定に活用できる。

- 予測：過去の販売データを用いて、将来の販売トレンドを予測する。また、顧客の行動データから、購入意向の変化を予測する。その結果は、在庫管理、価格設定、販売戦略などに利用できる。
- シミュレーションとシナリオ分析：さまざまなシナリオについてのシミュレーションを行ない、異なる戦略や決定がどのような結果をもたらすかを事前に評価する。

現在では、こうした分析は、専門家が複雑なモデルを用いて行なっている。しかし、生成AIが進歩すれば、誰でも自然言語で生成AIに質問を行なうことによって、ただちに答えを得られるようになる。たとえば、経営者が、経営意思決定のシミュレーション分析結果を、自ら自然言語で生成AIに尋ねることが可能になる。現在こうしたことが完全な形でできるわけではないのだが、近い将来にできるようになることは、ほぼ間違いない。

これまでの手法と生成AIの違い

AIは、これまでも企業経営に活用されてきた。ただし、その目的は、主として予測や最適化であった。生成型ＡＩは、それらとは異なる新たな価値を生み出す可能性を秘めている。

生成ＡＩとは、大量のデータから新たな情報やアイディアを生成するＡＩだ。既存のデータから新たな視点や解釈を導き出す能力を持つため、経営戦略の策定や意思決定の支援に大いに貢献することが可能だ。たとえば、既存の顧客データから新たな市場トレンドを見つけ出す、商品のデザインやマーケティング戦略を提案する、といった活動が考えられる。

生成ＡＩは、新たなビジネスモデルやサービスを提案することもできる。大量の市場データや消費者行動のデータを分析し、それらから新たなビジネスチャンスを見つけ出し、それを具現化する新サービスや商品を提案することができる。これは、従来の予測や最適化を目的としたＡＩの活用とは性格の異なるものであり、より創造的な経営戦略の形成を可能にする。

このように、生成ＡＩは経営に新たな視点を提供し、組織の競争力を高めるための一助となりうる。ただし、その活用のためには、適切なデータの収集と管理、それを適切に解釈し活用するためのスキルが求められる。

大量データ処理で可能になった「データドリブン経営」

「データドリブン経営」（あるいは、「データ駆動型経営」）とは、経営者の勘や経験だけに頼らず、データをもとに戦略立案や施策の実行などを行なう経営のことだ（注1）。生成ＡＩによって、これが容易になる。

これまでも、企業は経営においてデータを利用してきた。したがって、「昔からデータドリブン経営が行なわれていた」と言うこともできる。では、なぜわざわざ、データの利用を強調するのか？　企業が経営においてデータを活用するのは、たしかに新しいことではない。

現代の経営が昔と違うのは、「大量のデータを高速で処理し、その結果に基づいて経営判断を下す」という、より客観的で科学的なアプローチがとられるからだ。

ここで重要なのは、データ収集、処理、分析の技術が大きく進化したために、この決定プロセスが可能になったということである。つまり、データドリブン経営は、情報関連テクノロジーの進歩とデータ利用の進化を反映している。

このため、経験主義的な判断から一歩踏み出し、企業が得られる情報を最大限に活用し、より精緻で迅速な意思決定をすることが可能になったのだ。経験や直感、あるいは限定的なデータをもとに決定がなされてきたことからの脱却が可能になった。「データドリブン」を強調する理由は、ここにある。

銀行ＡＰＩの利用でも可能

銀行ＡＰＩを通じて得られるデータを用いるデータドリブン経営もありうる。これらは顧客の取引データ、信用データ、その他の銀行関連データを活用し、新たなサービスや製品を開発し、より効率的な運営を実現するものだ。

生成ＡＩを用いて自社データを活用するという手法とは、主にデータの源泉とその適用範囲に違いが見受けられる。自社データを用いた生成ＡＩの活用は、主に企業がすでに保有する顧客情報やトランザクション履歴などの内部データをもとに、新たな洞察や解釈を導き出す活動である。

一方、銀行ＡＰＩを通じて得られるデータは、自社のデータに加え、銀行の顧客やトランザクションに関する広範なデータが含まれる。このため、より広範囲で深い洞察を得ることが可能だ。さらに、銀行ＡＰＩによるデータは、企業が自社で直接集めることが難しい信用情報などの高価値な情報も含まれる可能性がある。

したがって、銀行ＡＰＩを通じて得られるデータを用いるデータドリブン経営は、自社データのみを用いる場合と比較して、より広範囲かつ深い視野を持つことができ、新たなビジネスチャンスを見つけ出す可能性が高まる。ただし、銀行ＡＰＩによるデータの活用は、データ保護法やプライバシー規制といった法規制、さらには顧客の信頼や企業のブランドイメージにも関わるため、適切な取り扱いが求められる。

（注１）「データ駆動型」の基本的な考えについては、つぎを参照。
野口悠紀雄『データ資本主義』（日本経済新聞出版、２０１９年）第4章の4「『データ駆動型』とは何か」。

2. データドリブン経営を行なっている企業

データドリブン経営の成功例として、さまざまな例が挙げられている。それらの中で、最も成功した企業や、データドリブン経営を実際に行なっている代表的な企業としては、以下のようなものがある。

Amazon.com

Amazon.com は、初期からデータドリブン経営を推進してきた。とりわけ重要なものとして、つぎのものがある。

- 販売予測モデルを使用して、どの商品がいつ、どれくらい売れるかを予測する。これにより、どの商品をどれだけの量、どのタイミングで在庫として保持すべきかを最適化できる。
- 配送ルートの最適化：配送依頼に対して、配送先の住所、現在の交通状況、天候などのデータを利用して、最適な配送ルートを計算する。また、予測分析を用いて特定の地域での配送需要を予測し、配送センターからの配送車両の出発時間や配送順序を調整する。

Netflix

Netflixもデータを活用している企業として有名だ。とくに、つぎの分野で用いられている。

- コンテンツ推奨：ユーザーの視聴履歴、評価した映画、視聴した曜日や時間、視聴に使用したデバイスなどの詳細なデータを収集する。これらのデータをもとに、ユーザーの好みを予測し、それぞれのユーザーに最適なコンテンツを提案する。
- オリジナルコンテンツの制作：視聴データを活用することで、個々のユーザーに最適なコンテンツを提供し、新しいコンテンツの制作にも役立てている。

Airbnb

Airbnbは、つぎのような利用を行なっている。

- ユーザープロフィールと過去の行動分析：ユーザーのプロフィール情報や過去の宿泊予約履歴、お気に入りリスト、検索履歴などを分析する。これにより、ユーザーがどのような宿泊施設を好むか、どのような要素に重点を置いているかを理解し、それに基づいて推奨をカスタマイズする。

● 似た嗜好や優先事項を持つ他のユーザーのデータを利用し、類似ユーザーグループを作成する。
● ユーザーが投稿している過去の宿泊体験に関するレビューや評価を分析し、ホストや宿泊施設の品質を評価し、信頼性の高い施設を優先的に推奨している。
● 特定の日付や地域での需要の高まりや供給不足を把握し、ユーザーに対して適切な価格や宿泊施設の提案を行なっている。

日本では、コンビニのポイントカード情報利用

日本のコンビニエンスストアでは、ポイントカードを通じて顧客の購買データを収集し、さまざまな形で活用している。具体的な活用方法は以下のとおりだ。これらの活動は、データドリブン経営の一種と評価することができる。

● 商品の配置と陳列：顧客の購買データを分析することによって、人気の商品や売れ筋商品を特定し、これをもとに商品の配置や陳列を最適化する。
● 在庫管理と仕入れ：各商品の売上データに基づき、商品の在庫管理と仕入れを最適化する。これによって、売れ残りを減らし、売り切れを防ぐことができる。
● マーケティング活動：顧客の購買データをもとに、顧客に合わせたパーソナライズされた

マーケティング活動を行なう。たとえば、個々の顧客が購入しがちな商品のクーポンを提供するなどして、再訪を促すことができる。

- 新商品の開発：長期間にわたる購買データの分析を通じて、顧客の嗜好や消費トレンドを理解し、これをもとに新商品の開発を行なう。

日本のコンビニエンスストアにおけるポイントカードの導入やそれに伴う顧客データ収集は、2000年代初頭から本格的に始まったと言われている。

たとえば、セブン-イレブンは2001年に「セブンカードサービス」を開始した。セブンカードは主にプリペイドカードとしての機能を持っていたが、同時に顧客の購買履歴データの収集も行なっていた。その後、2007年には「nanaco」が導入され、これによって、さらに詳細な顧客データの収集が可能となった。ローソンは2010年に「Ponta カード」を導入し、顧客の購買データの収集を開始した。ファミリーマートも2007年に「Tカード」の取り扱いを開始し、同様のデータ収集を行なっている。

3. 生成ＡＩを活用できる企業構造への転換を図れ

経営者を含めて、すべての従業員が利用することが重要

生成ＡＩは、自然言語でコンピュータに指示でき、コンピュータと会話できる仕組みだ。したがって、自然言語を用いて、求めるデータを企業データベースから抽出できるようになる。

これまで、データ分析は専門家が行なわなければならなかった。しかし、生成ＡＩの利用で、多くの人が自らデータを操作でき、簡単にデータ分析ができるようになる。だから、すべての企業構成員が生成ＡＩの基本的動作原理を理解することが必要だ。それに基づいて、出力を適切に解釈し、活用する。また、ＡＩの限界や、法的・倫理的な問題、そして企業機密情報の取り扱いなどについても、すべての企業構成員が理解していることが必要だ。

これは、従業員だけのことではない。経営者に対してこそ、強く求められることだ。日本の組織では、これまで、データの扱いなどを専門家に任せきりにすることが多かった。こうした状況を大きく変える必要がある。

経営者自身がこうした利用法ができるようになり、それを経営判断に用いることが必要だ。こ

れまで経営者は、自ら進んで企業のデータベースを操作することは、ほとんどなかっただろう。専門家に頼んでデータを引き出してもらったり、専門の部署が作ってくる分析結果などを見る場合が多かったと思われる。これまでは、データベースを操作するのは簡単ではなかったから、こうなるのは当然のことだ。しかし、生成AIの時代には、専門家を経ることなく、直接に企業データを参照することが可能になる。

データドリブン型の組織文化を確立する必要がある

以上で述べたことは、「データドリブン型の意思決定」と呼ばれるものである。これを現実のものとするには、「データドリブン型の組織文化」を確立する必要がある。

これは、組織全体がデータを尊重し、その分析を日常の意思決定に活用しようとする文化だ。具体的には、つぎのとおり。

データドリブンの組織では、データは、経験や直観よりも重視される。決定はエビデンスに基づき、データに裏打ちされて行なわれなければならない。組織全体でデータにアクセスし、それを共有する。これによって、情報のサイロ化（各部門やチームで情報が分断されること）を防ぎ、全員が同じ情報に基づいて行動する。

日本企業の縦割り構造が問題

1970年代から1980年代にかけては、日本の企業のデジタル化は、世界的に後れをとっていなかった。世界最先端の銀行オンライン・システムが、それを明確に示している。ただし、これは、専門家が特定の業務に限定して、メインフレームのコンピュータ・システムを運営するものであり、企業全体が共通のデータベースを活用するものではなかった。ましてや、経営者がそれを参照し、決定に反映させるということが行なわれていたわけではない。

しかし、1980年代以降進んだIT化は、これとは性格が異なるものだった。それは、PCやインターネットを用いて、すべての従業員が共通のデータベースを利用するという性格のものだった。情報システムは、それまでの集中型のものから分散型のものへと、大きく性格を変えたのだ。

しかし、日本の企業は、縦割り構造になっている。したがって、企業全体として共通のデータベースを運営するというシステムに転換できなかった。これが、インターネット時代になって明らかになった、日本企業の根本問題である。

これまでの日本企業はデータを活用していない

重要なのは、どのようなデータを求め、得られたデータをどのように解釈し、それを経営判断にどのように利用するかだ。とりわけ、将来の不確実性をどのように評価し、どれだけのリスクをとるかだ。こうした判断は、これまで感覚や経験に依存していた面が多い。しかし、ＩＴ革命後の世界では、多くの企業や国などの公的組織が、情報システムを整備し、データの適切な利用をめざしてきた。

ところが、日本企業は、データに基づく適切な行動をしてきたとは言いがたい。このことが、１９９０年代以降顕著になった日本経済停滞の基本的原因の一つであると考えられる（もう一つの原因は、円安政策のために、中国工業化という大変化に対応して産業構造を変革できなかったこと）。

情報のサイロ化が進んだ

以上のような利用をするために、どのようなデータベースを構築するかという問題もある。それは、仕入れ、生産、販売、投資、人事など、企業のあらゆる活動をカバーするデータシステムでなければならない。

日本の企業でも、業務の推進や効率化を目的にＩＴを導入し、その結果、デジタルデータが蓄積されている。しかし、分析や活用を目的にデータを収集しているわけではないので、業務によってコード体系が違っていたり、入出力の形式が違っていたりして、そのままでは使い物にならない。現場主導でのデータ利活用を行なった結果、部門によってツールもばらばらだ。これが、「情報のサイロ化」と言われる現象だ。

この状況に対してどう対処すべきかが、重要な問題となる。生成ＡＩに適合したシステムを構築できた企業と、それができなかった企業の間で差が拡大するだろう。

日本的組織文化を変革しなければ、日本は取り残される

データドリブンの組織文化をこれまでの企業文化と比較すると、つぎのような違いがある。

まず、伝統的な組織では、情報が特定の部門や役職の人間だけで保有されることが多かった。しかし、データドリブンの組織では、データは組織全体で共有され、透明性が確保される。

また、伝統的な組織では、失敗は避けるべきものとされることが多い。しかし、データドリブンの組織では、データに基づいて失敗の分析が行なわれ、それから学んで、改善を繰り返すことが重視される。

生成ＡＩの企業意思決定への応用は、アメリカでも、すでに進んでいるというわけではない。これは、今後進展すると考えられるものだ。ただし、アメリカの企業組織は、生成ＡＩになじみやすい構造になっている。したがって、ＡＩ技術の進歩に伴って、データドリブンへの変革が急速に進むだろう。

それに対して、日本の多くの組織は、伝統的な組織構造を継続しており、生成ＡＩになじみにくい。そのような組織構造が今後も続けば、生成ＡＩの企業意思決定への活用が進まず、日本企業が世界の大きな変化から取り残されることが危惧される。日本企業の構造をどのようにして

データドリブン型組織に転換できるかが、生成ＡＩの時代における企業の運命を決めることになるだろう。

第3章のまとめ

1　企業は、ChatGPTを、業務効率化やカスタマーサービスの改善に用いることができる。しかし、最も重要なのは、企業意思決定の支援だ。日本でこれを実現するには、組織文化の根本的改革が不可欠だ。

2　Amazon.com、Netflix、Airbnbなどのアメリカ企業が、積極的なデータドリブン経営を行なっている。日本のコンビニエンスストアでは、ポイントカードを通じて得た顧客の購買データを利用している。

3　生成ＡＩの活用により、経営者も含めて、企業の全構成員が企業データベースを自然言語で使えるようになる。これにより、データドリブン型の意思決定が可能になる。ただ、その実現に必要なのは、データドリブン型の組織文化の確立だ。縦割り構造の日本企業は、情報のサイロ化現象に陥り、生成ＡＩの潜在力を活用できないおそれがある。生成ＡＩを意思決定に活用するには、企業の構造を改革することが必要だ。従業員のスキルを高め、組織体制を変革しなければならない。

第 4 章

医療や法律関係にもChatGPTが進出

1. 生成AIは、「弁護士が要らない社会」を実現するか？

インターネットを超える影響がこれから生じる

法律関連業務は、生成AIによって大きな影響を受ける分野の一つだ。ChatGPTなどの生成AIが法律関連の仕事に及ぼす影響について解説した文献として、サフォーク大学ロースクールの学部長であるアンドリュー・パールマン教授による論文が参考になる（注1）。

パールマン教授は、その影響はインターネットのそれを超えるとしている。この主張を裏付けるため、この論文はChatGPTによって生成された。要約、序文、アウトラインヘッダー、エピローグ、およびプロンプトだけが人間によって書かれ、ChatGPTが人間の編集なしに残りのテキストを生成した。

生成AIは、法律関連の以下の四つの分野で活用される可能性がある。

- 法的調査：生成AIは、大量のテキストデータを迅速にスキャンし、特定のトピックに関する情報を提供する。それによって、弁護士の法的調査を支援する。

- 文書作成：生成ＡＩを使用すると、契約書などの法的文書の生成が可能となり、弁護士の作業時間を節約できる。
- 一般的な法的情報の提供：生成ＡＩは、よくある質問への回答や基本的な法的アドバイスを提供するためにも使用される。
- 法的分析：生成ＡＩは、関連する法的原則や判例に基づいた提案や洞察を提供することによって、法的分析を支援する。

これらにより、法務の効率と正確性が向上し、弁護士はより多くの事件を処理することができ、クライアントに対して高品質なサービスを提供することが期待される。

生成ＡＩを用いて契約書の作成ができる

生成ＡＩを用いて法的文書を作成する場合、つぎのように進める。

まず、関係者や契約条件、特別規定などの情報を入力することをユーザーに求める。生成ＡＩはこの情報をもとに法的文書のドラフトを生成し、ユーザーは必要に応じてそれを見直し、修正

（注１）Andrew Perlman, "The Implications of ChatGPT for Legal Services and Society", *The Practice*, March/April 2023.

することができる。

たとえば、ユーザーが不動産の売却契約を望む場合、買い主と売り主の名、不動産の価格、そして予期せぬ事態への対処規定を、生成ＡＩに提供すればよい。生成ＡＩは、それに基づいて契約のドラフトを生成する。ユーザーはそれを見直し、必要な修正を施すことができる。この手続きにより、法的文書を作成する際に、ユーザーの時間と労力を省くことができる。

弁護士の役割はなくなるか？

一般に、低所得者は有利な法的サービスを得ることが困難だ。しかし、ChatGPT の助力を得れば、遺言書の作成などが可能となる。貧困線以下の生活を送る者の大部分や、中所得のアメリカ人のほとんどは、重大な民事法上の問題（子供の監護、債権の回収、立ち退き、差し押さえなどの問題）に遭遇した際、適切な支援を受けていない。

生成ＡＩは、依頼者が自分で利用できる手段や、弁護士がいまよりも多くの依頼者に接触できる手段を提供することによって、これらの要求に応える方法を提示する。

ＡＩは、ただちに弁護士の役割の消滅を意味するものではないが、将来は、弁護士が要らない社会が実現するかもしれない。つまり、いまは、「弁護士がいない社会の始まり」だ。

多くの依頼者、とくに複雑な問題に取り組む者は、専門的な知識や助言、そしてカウンセリングを提供する弁護士を依然として必要とする。だが、それらの弁護士も、効率的かつ有効なサービスを提供するためのAIのツールを求めるようになるだろう。これらのツールは、非常に価値あるものとなる可能性が高く、弁護士は、特定の状況でそれらのツールを使用することが必要とされるだろう。

以上の指摘の中で、私は、つぎの点が大変興味深いと思った。

- ChatGPT の助けで契約文などを作ることができる。
- 低所得者には大きな恩恵となる。
- 将来は、弁護士が不要になるかもしれない。

パールマン教授はさらに、法科大学院は、電子調査ツールの使用法を学生に示したのとほとんど同様の手法で、ChatGPT のようなツールを、カリキュラムに取り入れる必要がある、と指摘している。たとえば、初年度のリーガルライティングの授業や演習のプログラムにおいて、未来の弁護士が実際にテクノロジーをどのように使用すべきかを教える必要がある。

なお、パールマン教授の論文以外に、「訴訟において、ChatGPT が人間の弁護士に取って代わることができるか?」という問題に関する研究も行なわれている。ChatGPT が関連する判例の重要な事実を要約して、原告側をサポートすることができるとする研究もある（注2）。以上で見たことは、法律分野における「知の独占」が崩れることを意味するものだ。

本章の2で述べるように、医学の分野でも同じようことが起きるだろう。その他、さまざまな分野で同様の変化が起きる可能性がある。

幻覚による誤りを克服できるか？

法律関係の仕事において、判例の役割は大変大きい。膨大なデータなので、必要な情報がなかなか見つからない。これに関して、ChatGPT の潜在力は大変大きい。

しかし、エラーや誤解の可能性には、つねに注意しなければならない。事故は、すでに起きている。2023年5月、米ニューヨークの連邦裁判所で審理中の航空機内のトラブルに関する民事訴訟で、スティーブン・シュワルツ弁護士が ChatGPT を使って作成した準備書面に、実在しない6件の判例が含まれていた。6月22日、裁判所は、この弁護士に対して、5000ドル（約72万円）の罰金を科した。

なお、誤りの情報出力に対する対処も試みられている。東京大学発のスタートアップ企業であるリーガルスケープは、企業の法務のデジタル変革を助け、法務部門の業務の効率化やリスクの管理の強化をめざして、対話型AIを開発した。このAIは、法律に関する問いに答える能力を持っており、日常の法律の相談や契約書の確認など、いくつかの業務を援助する。そして、ハルシネーション（幻覚）問題を解決するため、質問への回答時に必ず信頼のおける法律書籍に依拠して回答させる。

同社の資料によると、司法試験のある問題にGPT4が誤った答えを出したのに対して、リーガルリサーチAIは、正しく答えたことに加え、根拠となる判例を表示した。このため、ユーザーは安心して利用できる。平成26（2014）年司法試験の短答式試験（民事系科目、会社法領域）における正答率は、ChatGPT（GPT4ベース）は35・7%だったが、リーガルリサーチAI（GPT4ベース）では78・6%だったという。

また、2012〜2014年の司法試験と2012〜2016年の司法試験予備試験で出題された選択式の「短答式試験」のうち、会社法に関連する計70問につき、正答率は約71・4%で、合格ラインとされる60%を上回ったという（注3）。このAIを、法令関連の情報検索のサービスに用い、2023年秋にも市場に出す予定だという。

（注2）「ChatGPT は弁護士の代わりになるか？　『カタツムリ混入ビール事件』の判例で検証　香港チームが発表」ITmedia NEWS、2023年2月27日。

（注3）「生成AIが司法試験『合格水準』東大発新興、一部科目で『GPT-4』ベースに独自開発」日本経済新聞、2023年6月11日。

2．医療に進出するChatGPT

セルフ・トリアージでのChatGPTの能力は高い

医療での利用としては、まず、医療機関での書類整理などの事務効率化がある。しかし、それだけでなく、医療行為そのものに対する利用が考えられている。

その第一は、「セルフ・トリアージ（緊急度自己判定）」。これは、一般市民が自分の健康の緊急度や優先度を自ら判断することだ。現在では、これは主としてウェブの情報を頼りに行なわれている。しかし、正確度に疑問があるし、個人個人の事情に即した情報が得られるわけでもない。

高齢化の進展に伴って、セルフ・トリアージの必要性は増える。事実、週刊誌には高齢者の健康に関する記事が満載だ。また、書籍も多数刊行されている。さらに、保険会社などが電話で健康相談サービスを提供している。セコムのサービスもあるし、「ファストドクター」というスタートアップも登場した。

こうした目的のためにChatGPTを利用することに注目が集まっている。もし、医学的な質問に対して、大規模言語モデルが専門医レベルの回答をできるなら、事態は大きく変わるだろう。

これについては、さまざまな調査が行なわれている（注4）。そして、検証成果はかなり有望な結果を示している。ChatGPT がアメリカの医師資格試験で合格ラインの結果を示したとの報告もあるし、医師による回答より ChatGPT の回答が好まれるとの調査もある。

人間より優れているとの評価も

ワシントン大学の笠井淳吾研究員らは、ChatGPT やGPT4を使い、2018～2022年の日本の医師国家試験を解かせた。ChatGPT は不合格だったが、GPT4は5年分すべてで合格ラインを上回った（注5）。

同様の結果を、オンライン診療を手がけるMICIN（マイシン）と金沢大学が、専門家による査読前の論文として公開した（注6）。

2022年の医師国家試験のうち、画像を見ずに回答できる問題文について、日本語の問題文を平易な英語に翻訳させ、GPT4を使って回答させたところ、正答率は82・8％になった。2023年の試験については、正答率は78・6％だった。内訳は必修問題82・7％、基礎・臨床

（注4）岡本将輝「医療における大規模言語モデルの価値」時事メディカル、2023年6月8日。
（注5）「最新版AI『GPT-4』、日本の医師国家試験で『合格』」読売新聞、2023年5月10日。
（注6）「ChatGPT が医師国家試験『合格』も、診療利用に不向きな理由」朝日新聞、2023年6月15日。

問題77・2%で、それぞれ合格ラインを超えた。ただし、研究チームは、間違えた回答の内容を、「時代遅れで、致命的に不正確な回答があった」と問題視した。

医学界の有名専門誌『JAMA』に掲載された論文は、医師とChatGPTを比較すると、医学的アドバイスの品質と共感の両面において、ChatGPTが生成した回答が高く評価されていると指摘している（注7）。とりわけ、つぎの諸点でChatGPTが優れているという。

- 患者の状況に共感を示す。
- 患者個人の背景に興味を持ち、個人的な関係を構築しようとする。
- 歯科医師、医師、看護師、薬剤師などの資格試験の点数が高い。

大規模言語モデルの臨床的有効性や診断支援の可能性を高く見積もる意見が多い。大規模言語モデルが臨床実装され、医療を強力に支援するようになる可能性は非常に高い。とくに、スクリーニングや初期診断、治療方針策定、フォローアップ、セカンドオピニオン、患者および医療者教育などは激変する可能性がある。

Google のMed-PaLMなど、医療に特化した大規模言語モデル

以上で紹介したのは、ChatGPTそのものだが、これに改良を加えたり、医療に特化した大規

模言語モデルを開発する動きもある。

グーグル研究所は、医療領域特化の大規模言語モデル Med-PaLM を発表した。アメリカ医師国家試験で、平均点である60％を大きく上回る85％の正解率を示した（注8）。臨床家が時間をかけて示す答えと比べると、かなり近いところに来た。ただ、臨床家のほうが勝っているとも言われる。

日本でも、開発が進んでいる。ファストドクターとＡＩ開発スタートアップのオルツが共同開発した大規模言語モデルだ。２０２２年度の医師国家試験の問題で、合格基準を上回る82％の正答率を達成した（注9）。中国の研究者らが開発した「ChatCAD」は、レントゲン画像をわかりやすく説明する。画像を見ながら詳しく聞くこともできる。人間より優れているとの評価もある（注10）。

（注7）Forbes JAPAN、２０２３年6月9日。
（注8）「完璧な医療・医学チャットボットを目指して」オール・アバウト・サイエンス・ジャパン、２０２３年7月14日。
（注9）「生成ＡＩが医師国家試験の合格水準に、ファストドクターとオルツが共同開発」日経クロステック／日経コンピュータ、２０２３年5月9日。
（注10）「ChatGPT がレントゲン画像を分かりやすく説明　中国の研究者ら『ChatCAD 開発』」ITmedia NEWS、２０２３年3月1日。

日本では、これから高齢化がさらに進展し、医師不足は深刻な問題になるだろう。信頼性のある医療用大規模言語モデルの開発は、日本の場合にとくに必要度が高い課題だ。

慎重意見も強い

以上で述べたように、医学関係者の多くが、大規模言語モデルに対して高い期待を寄せている。これは、私には意外だった。慎重論が多いと思っていたからだ。

もちろん、医療関係者のすべてが大規模言語モデルの利用に積極的であるわけではない。慎重論や消極的な意見が多いことも事実だ（注11）。『ニューズウィーク・ジャパン』の記事は、そうした意見を紹介している（注12）。明らかな誤りやバイアスなど、精度の不安定性に懸念が表明されている。だから、現時点では重要な判断が伴うケースで、専門家のレビューなく出力結果を利用することは難しいとされる。

また、プライバシー、倫理、法的制約と規制などについても、解決すべき課題が多く存在する。治療や研究に取り入れることには、守秘義務や患者の同意、治療の質、信頼性や格差に関する倫理的懸念が伴う。むやみな使用は、予想外の結果につながりかねない。また、ChatGPT に送られた身元特定可能な患者情報は、将来利用される情報の一部になる。だから、機密性の高い情報が第三者に漏洩しやすくなる。

健康に関する利用はさまざまな微妙な問題を含む

私自身は、これまで自分の健康問題に関してChatGPTに質問をしたことはない。ChatGPTが誤った答え（ハルネーション）を出す危険があるからだ。

仮にその問題が克服されたとしても、なおかつ問題は残る。これは、前項で紹介した懸念とは異なるものだ。

第一に、自分の状況を正しくChatGPTに伝えられるかどうか、自信がない。医師と面談する場合には、医師がさまざまな質問をし、それに答える。しかし、ChatGPTの場合には、そのような質問がない。質問自体を私が考えなければならない。電話の健康相談サービスでも、通常は先方が質問してくれる。ChatGPTとの会話は、人間との会話とは異なるものなのだ。また、ChatGPTは、安全側に偏った回答をするはずだ。少しでも疑問があれば、「医師の診断を受けたほうがよい」と答える可能性が高い。自分では大丈夫だと思っているときにそうしたアドバイスを受けると、かえって不安になってしまう。

こうしたことがあり、ここで紹介した調査結果を知ったいまとなっても、なかなか健康問題の

（注11）*Wired*, 2023.5.12.

（注12）『ニューズウィーク・ジャパン』２０２３年4月9日。

質問をする気にならない。かといって、週刊誌にある「多少血圧が高くても気にする必要はない」という類いの記事も、乱暴すぎると思う。健康に関わる問題は、さまざまな微妙な要素を持っており、判断が難しい。この問題に関する研究調査がさらに進められることが求められる。

3. 知の独占の崩壊
ChatGPTが弁護士や医者に取って代わる日は来るか?

法律や医療にChatGPTが進出

本章の1と2で見たように、医療や弁護士などの専門家が行なっている仕事をChatGPTが担う可能性がある。まだ完全には現実化していないが、その方向への変化が着実に進行しており、これから大きな変化が生じることは間違いない。現在、ただちにこうしたことができない大きな理由は、ChatGPTが間違った答えを出す可能性があることだ。そのため、これらの技術を使用することに対しては、慎重論が強い。とくに医療への応用に関しては、人間の命に関わることなので、強い反対意見がある。

しかし、出力の誤りに対する対策は急速に進んでいる。法律の分野においては、AIを使用した訴訟において、さまざまな成果が期待される。また、典型的な契約文書の作成なども、ＡＩの力を借りて効率化されることが考えられる。

このような状況になると、専門家間での差が生じるだろう。とくに弁護士の分野で、このような状況が生じる可能性が高い。ＡＩサービスを使えてより良いサービスを提供できる弁護士は、仕事を効率的に増やし、依頼者が増えることになるだろう。一方、ＡＩを活用できない専門家は仕事が減る可能性がある。

専門家の価値の低下

それだけではない。現在は医師や弁護士が行なっている仕事の一部を、ChatGPT が代替できるようになる可能性が高い。医師や弁護士だけでなく、これまで一定の資格を持った専門家でしかできなかったことを、実質的には、ChatGPT でもできる。これは、明らかに専門家の役割、あるいはその価値を低下させるものだ。

もちろん、それによってただちに専門家が失業するというわけではない。とくに医師の場合、今後の日本では、高齢化に伴って医療需要が増えることが予想されるので、ChatGPT が医師の仕事の一部を肩代わりすることによって、負担を軽減する効果のほうが大きいだろう。

ただし、専門家による仕事の独占が崩れていくことは、間違いない。たとえば、法律関係の仕事では、行政書士や司法書士が行なっている仕事の多くは、ChatGPT で代替できるかもしれない。たとえば、ChatGPTの助けを借りれば、契約文書などを自分で作成することが可能になる。これは、低所得者にとっては大きな恩恵となる。

同様のことが、さまざまな分野において生じる可能性がある。こうして、専門家がこれまで行なっていたことの一部が、専門家の力を借りなくても、普通の人でもできるようになるだろう。弁護士や医師は、依然として強力なサポート役として存在し続けるだろうが、これまでよりは、必要性が低下するかもしれない。もちろん、弁護士や医師は政治的にも影響力のある集団であるため、簡単にこのような変化を受け入れないだろう。しかし、長期的には技術の進歩に逆らうことは難しい。

4. ChatGPTがコピーライターの仕事を奪いつつある

ChatGPTがコピーライターの職を奪う

コピーライターとは、広告、ウェブサイト、ブログ、ソーシャルメディア、パンフレット、カタログなどで用いる文章やコンテンツを作成する専門家だ。彼らは、特定のメッセージを伝えるための効果的な言葉を選び、顧客層の心に響くようなコンテンツを作成する。

デジタルマーケティングとは、インターネットやデジタル機器を活用して行なわれるマーケティング活動のことだ。これには、商品やサービスの宣伝、ブランド認知の向上、顧客との関係構築などが含まれる。

ところが、コピーライターは、この分野での中心的な存在だ。

すでに何度も述べているように、ChatGPT には、ハルシネーション（幻覚）と呼ばれる問題がある。これは、出力した内容に誤りが含まれることだ。このため、実務で利用するには問題があるが、コピーライティングの仕事は、ハルシネーションの影響をあまり受けない。内容に誤りがあれば、人間が容易にチェックできるからだ。

また、これまでのコピーがどのような効果を上げたかのデータを参照することによって、コピーの内容を改善することができる。このため、ChatGPT の利用は、デジタルマーケットの分野において最適の手段と言える。これは、産業革命の際に機械が人間の労働を奪ったのと似た状況だ。経営者がこの新しい強力な手段を使用しないという選択は、難しいだろう。したがって、新しいラダイト運動（機械取り壊し運動）をしても、効果は限定的だ。

従来、創造的分野は機械による代替が難しいとされていた。これまでのＡＩも、工場や物流倉庫での繰り返し作業の自動化や、データ分析を通じた在庫管理の効率化などの分野で使用されていた。しかし、ChatGPT をはじめとする生成ＡＩは、データを分析するだけでなく、新しい創作物を作成することができる。そのため、知的労働に影響を及ぼしているのだ。

AIによる人員削減が実際に始まっている

ワシントン・ポスト紙の記事（2023年6月2日）「マーケティング・コンテンツ分野の代替が始まる」は、つぎのように報じている（注13）。

AIはマーケティングとソーシャルメディアコンテンツ分野での雇用をすでに代替し始めている。2023年の4月、あるコピーライターは、AIの導入を理由に解雇された。「コピーライターにお金を払うより、ChatGPTを使うほうが安いという管理者からの通知文を見て、解雇の理由を知った」と彼女は話している。

この記事は、さらに、AIがすでに雇用を奪っている証拠は統計にも現れていると報じている。アメリカの人事管理コンサルティング会社、チャレンジャー・グレイ・クリスマス（CG&C）は、2023年6月に発表した報告書で、5月にアメリカの企業がAIを理由に行った人員削減が3900人に上ったと明らかにしている。ブルームバーグは、この報告書が人員削減の理由としてAIを挙げたのは初めてであり、「AIによる人員削減が実際に始まったことを示している」としている。

品質よりもコストが重視されている

アメリカの投稿型ソーシャルサイト『Reddit』に投稿された「AIに仕事を奪われた」という

話題が注目を集めた（注14）。10年以上の経験を持つあるフリーライターは、時給50ドルで仕事を開始したが、クライアントが80ドルにまで上げてくれたので、それが主要な収入源となっていた。しかし、クライアントから「ＡＩの仕事があなたの仕事ほど良くないことは理解しているが、利益率を無視できない」とのメールが届いた。「優れたスキルを持っていればＡＩに仕事を奪われることはない」と考えていた彼女は、「企業が品質よりコストを重視するため、ChatGPT に仕事を奪われた」と述べている。その後、彼女はフードデリバリーサービスのドライバーとして登録した。

この記事に対するコメントでは、多くのユーザーから、ＡＩが執筆業の仕事を奪う脅威となっているとの声が上がっている。そして、品質よりコストが重視される現状を指摘する意見が多く寄せられた。たとえば、多くの人々は、チャットボットよりも人間のほうが優れていると感じているが、人間がチャットボットに取って代わられているのが現状だ。フリーランスの翻訳者の多くは、Google 翻訳に仕事を奪われている。翻訳者は Google 翻訳よりも確実に優れた仕事をしているが、Google 翻訳は高速で、しかも無料で利用できるため、多くのクライアントがそれを選ぶ傾向にある。このような現象は、イラストレーターなどの職種でも起きている可能性がある。

（注13）中央日報日本語版、２０２３年6月5日。
（注14）"It happened to me today," *Reddit*, April 2023.

「能力が高いから、ChatGPT を使うのだ」という考えもある

実際、『Reddit』にも、単にコスト削減の問題だけではない、という意見が寄せられている。もしChatGPT が高品質のテキストを提供する能力がなければ、それはプロフェッショナルのスキルを補完するニッチなツールにすぎず、実際のプロフェッショナルにとっての脅威とは言えないという意見だ。実際、ChatGPT の応答でのハルシネーションは、それぞれの分野で高いパフォーマンスを持つ多くのプロフェッショナルの誤りより少ないと思われる。

そして、最近の『ウオールストリート・ジャーナル』の記事からの逸話が紹介されている。ある経営者が、就職の応募者にマイクロ波タワーに関するツイートとプレスリリースを書くように求めた。これは研究が必要なニッチなトピックで、通常、多くの候補者はこのテストに失敗する。しかし、今回は5人全員が合格した。

すべての回答が非常に似ており、「まるで一人の人が書いたかのようだった」。疑わしいと感じた経営者は、ChatGPT にプロンプトを入力して、それがどのような答えを生み出すかを確認した。その結果、「提出された5人の候補者すべての答えとほぼ同じ答えを得た」と彼女は述べた。

正規社員と非正規の問題

以上で述べたのはアメリカの話だ。コストが低ければ、情け容赦なく人間を切り捨ててしまう

というのは、アメリカだからできることと考えられるかもしれない。日本ではそうした非情なことは起こらないだろうと考える人がいるかもしれない。しかし、コピーライターの仕事は、日本でもフリーランサーとして行なっている人が多い。これらの人々は、雇用契約によって保護されていないために、仕事を失う危険が現実にありうる。したがって、日本でもアメリカのような状況が起こることは、十分に考えられる。

ところがその一方で、雇用契約によって守られている正規社員を解雇することは難しいだろう。すると、生産性の高い人が職を失い、生産性の低い人が雇用され続けるといった事態が生じうる。つまり、日本経済は、ChatGPTが引き起こす大きな変化に、適切に対応できないかもしれない。

1950年代に起きた農業社会から工業社会への転換は、経済全体が成長していたために達成できた。しかし、現在は経済全体の成長が停滞しているために、それと同じような転換ができない可能性が高いのだ。

「タダには勝てない」か？

「AIはタダだ。タダには勝てない」とよく言われる。しかし、この問題は、実はかなり複雑である。「タダには勝てない」というのは、必ずしも正しくないからだ。その理由は、つぎのとおりだ。

いま、ある商品の生産費が500であるとする。これまでは、コピーライターに100の費用を払ってキャッチコピーを書いてもらい、その結果、売り上げが1000になったとする。この場合の利益は400（＝1000－500－100）だ。ところが、ChatGPT でキャッチコピーを書けば、費用は0。そして、売り上げは700になるとする。この場合には、利益は200（＝700－500）でしかない。つまり、ChatGPT を使うことで、たしかに宣伝費はゼロになるのだが、ChatGPT の宣伝では売り上げがあまり伸びないので、利益が減ってしまうのだ。

このように、コストがゼロだからといって、必ず ChatGPT のほうが良いというわけではない。人間のコピーライターが斬られてしまうのは、コストに見合う売り上げ増を実現できないからなのである。もちろん、実際にはこうした計算が行なわれずに、コストがゼロというだけの理由によって、ChatGPT を採用する企業もあるのだろう。しかし、長期的に見ればそうした企業は淘汰されてしまうだろう。

第4章のまとめ

1 ChatGPT などの生成AIは、法律関係業務に根源的な影響を与える。法的文書を作成したり、訴訟における弁護士の役割を代行したりすることができる。これは、「弁護士が要らない社会の始まり」だ。

2 ChatGPT は、医療にも進出しつつある。自己判定や医学的アドバイスでは、人間の医師より優れた面があるという調査結果がある。また、医療に特化した大規模言語モデルも開発されつつある。人間の医師が行なってきた仕事の多くが、近い将来にAIによって代替される可能性がある。

3 医師や弁護士が現在行なっている仕事のすべてが生成AIに取って代わられることはないだろうが、仕事の一部が自動化されたり、普通の人でもできるようになることは、十分ありうる。これは、「知の独占の崩壊」と言える現象だ。

4 アメリカでは、コピーライターの仕事がChatGPTに置き換えられつつある。コピーの質が多少低くても、価格がゼロだという魅力があるからだ。日本でも同様の現象が起きる可能性がある。

第 5 章

知識の伝達と教育機関の根幹に関わる大変化

1. ChatGPTは、教育の根幹をゆるがす

生徒・学生の規制より、教育者がどう変わるかが問題

生成AIの能力は、現時点では不完全なものだ。しかし、今後進化が予想される。そうなれば、現行の学校教育を根本から変革する可能性がある。

私は教育のすべてをChatGPTに任せることは、可能でもないし、望ましいとも思わない。しかし、原理的には可能なことだ。子供たちがChatGPTを用いて全教科をこれで学習することは、ありえない姿ではない。このような大変革をどのように捉え、対応すべきかという問題が、いま問われている。

文部科学省は、ChatGPTなどの生成AIについて、学校での利用に関わる留意点をまとめたガイドラインを2023年7月4日に公表した。作文や小論文でChatGPTの出力をそのまま利用することの禁止などが主眼とされている。しかし、本当に重要なのは、新たな学習手段が導入されたいま、それを教育の場でどのように活用していくかという方法論の構築だ。

学生や生徒への制約だけでなく、教育者自身がどのように進化すべきかを考えることが求めら

れている。これまでの章で述べてきた専門家や企業の場合とは異なる、教育分野での特有の問題に対処して可能性を探るための、新たなアプローチが要求されている。

教育における生成ＡＩの役割を無視したり、軽視したりすることは、絶対にできない。初等教育から社会人のリスキリングに至るまでのあらゆる過程において、生成ＡＩはきわめて重要な地位を占めるはずだ。生成ＡＩにどのような役割を求めて使うかを、真剣に検討しなければならない。ある場面においては、ChatGPT がこれまでの教師の役割に取って代わることもあるだろう。また、教師の仕事を助けて軽減してくれる役割も果たす。教育の姿や教師の役割が現在と何も変わらないなど、考えられない。

積極的な利用に関する記述はあるが……

文部科学省のガイドラインには、英会話のパートナーとしての活用や、英語表現の向上なども記されている。こうしたことが不要だとは言わないが、教育の本質に立ち返り、ＡＩの効果的な利用法を考えることが、まず重要だ。

ガイドラインでは、思考力向上や創造性の発揮といった利用方法が提案されている。それらはたしかに必要だが、抽象的だ。

実際に学校で導入されている例を見ると、地域のイベントで取り組むべき企画のアイディア出しを行なうことなどが提案されている。企業がこうしたことを行なうことはあるだろうが、学校教育でも同様のことが望ましいかどうかは疑問だ。

企業の中には、新しい時代に適応する方法を積極的に探求している人々もいるが、教育界は同様の真剣さで取り組んでいるのだろうか？　「自身が利用経験がないため、どのように教えるべきかわからない」との教師からの意見も見られた。このような状況では、適切な対応はできない。まず、教師が使ってみなければならない。

教育・学習用アプリが多数登場

ChatGPTとAPI接続したアプリとして、教育・学習用に、すでにさまざまなサービスが登場している。

オンライン自習室サービス『みんがく』を運営するみんがくは、2023年3月、ChatGPT搭載の学習塾支援サービス「先生のBUKA（β版）」をリリースした。教育現場でChatGPTを活用し、先生は対面の生徒指導や面談など人間である先生しかできないことに注力したいというニーズが強くなっていくことに対応する。LearnMoreは、ChatGPTを活用し、物語を創って漢字を楽しく学習できるアプリ「かんじぃPT」を開発した。atama plusは、AI教材「atama+」にChatGPTを活用した「物語文で単語学習機能（β版）」を提供開始した。

AIを活用した英会話アプリは、すでに数多くリリースされている。これにChatGPT活用するものが増えている。Hop-On、スピーク、GPTalk、ELSA Speak、Duolingo Maxなど。

現時点での能力は限定的

生成ＡＩは、人間とコンピュータが自然言語を用いてコミュニケーションを行なう手段だ。その能力を教育の現場でどのように生かせるだろうか？　学習環境における ChatGPT の影響は非常に顕著に表れている場面が多く、ここに根本的な変化が生じる可能性が高い。ただし、現段階では、生成ＡＩの能力は完全ではなく、正確な答えを示す場合と誤った答えを示す場合が交錯している。

たとえば、ChatGPT を利用して、文章の添削や敬語の使用方法などの学習が行なえることは確かだ。しかし、前記のハルシネーション以外の点でも、ChatGPT は必ずしも正しい文章を生成するわけではない。たとえば、いわゆる「バイト敬語」などの誤った敬語を使っている場合もある。その他にも、世の中に溢れている不適切な文章を模倣することがしばしばある。したがって、まず先生役としてのＡＩの能力を試すためのテストが必要だ。

生徒や学生にまず教えるべきは、ChatGPT の能力をどのように評価するか、そしてその能力に応じて、自分が知りたい情報をどのように得ることができるかを正しく指導することだ。

教師よりもチューターの役割が適している

このような状況下で、教育の方法論が変化することが予想される。生成ＡＩは、従来の教師よりもむしろチューター、すなわち家庭教師としての役割を担う可能性が高い。このアプローチは、開発途上国の子供たちにとって有用なものとなる可能性がある。日本でも、経済的制約の影響を受けずに教育を受けられるようになる。こうした社会が形成されるかどうかが問われている。

近い将来、さらに進化が見込まれる。とくに、ChatGPTとのAPI接続が低コストで可能となれば、その精度は向上していくだろう。これによって、世界中の子供たちが家庭教師のような親身な指導を受けることができるようになるだろう。この効果は、きわめて大きい。

さらに、今後は多くのアプリケーションが登場するだろう。これは学校教育だけでなく、成人教育、リスキリング、高齢者向けの生涯学習、資格試験などの多くの分野においても、顕著な影響を与えるだろう。とくに社会人の学習には大きな影響を与える。リスキリングに補助金を出す必要はなく、むしろこういったアプリが無料で利用できるようにすべきだろう。

そもそも勉強は必要か？

より基本的な問題もある。それは「学問は必要なのか？」という問いだ。英語の学習は必須なのか？　他の外国語を習得する必要があるのか？

私は必要だと考えるが、深く問われれば、最終的な答えを提供する自信はない。私は「ゲーテの原著を読むためにドイツ語を学習するのだ」と答えたいが、このような答えが社会に受け入れられるかどうかはわからない。「ChatGPTがどんな質問にも答えてくれるのであれば、知識が必要になった際に問えばよい。人間が知識を持っている必要があるのか？」との疑念も生じるだろう。

しかし、ChatGPTには、適切な質問や指示が必要であり、そのためには、知識が必要だ。自分の思考を表現する能力、さらには他人への適切な伝達力が求められている。これによってこそ、思考を適切に展開できる。実世界の問題を数学的な問題として形式化し、それを解く能力も必要だ。歴史、地理、社会構造、自然界の法則といった基本的な知識の習得も不可欠だ。これらは、ＡＩ技術がいかに進歩しても、必要なことだ。

専門知識は必要か？　専門教育のために大学が必要か？

しかし、これ以上に考えを進めると、多くの疑問が生じる。さまざまな専門分野には専門家が存在している。しかし、ＡＩが進歩した場合、そうした専門家が必要なのかといった問い、あるいは専門知識そのものや専門家の必要性、そして資格試験の意義についての問いが挙げられる。

私は、専門家の存在や学問の積み重ねは必要だと考えている。しかし、その必要性が自明でなくなっているのも事実だ。少なくとも、学問や専門知識の本質が大きく変わりつつあることは明らかだ。問題となるのは、社会的な枠組みや人々の意識が、それに適応できるかどうかである。

2. ニューヨーク・タイムズの訴訟で、ChatGPTが立ち往生？

裁判の結果次第では、ChatGPTが成り立たない

米紙ニューヨーク・タイムズは、ChatGPTの開発者であるOpenAIに対して、事前学習のデータの利用に関して、支払いを求める訴訟を起こした。この問題は、「情報や知識に関する社会的制度をどう構築するか？」という問題の本質に関わっており、大変重要だ。

最初にこれまでの経緯を見ると、ニューヨーク・タイムズはその記事を無断でAIの訓練に用いることを禁止している。したがって、OpenAIが事前学習で同紙の記事を使っていないと証明できないかぎり、罰金を言い渡されることになる。裁判の結果いかんでは、侵害コンテンツ1件につき最高15万ドルの罰金が科されるなど、きわめて大きな影響があるのではないかと報道されている。

あるいは、OpenAIが連邦裁判官からChatGPTのデータセット全体の完全な再構築を命じられる危険性があるとも報じられている。こうした巨額の罰金を科され、またシステムの作り直しを要求されては、OpenAIの事業は成り立たなくなるだろう。

しかも、問題はニューヨーク・タイムズだけではない。同様の訴訟が、さまざまなメディア、あるいは個人から出されるかもしれない。それらのすべてに対応するのは、到底不可能だろう。そして、同じことが、OpenAIだけでなく、生成ＡＩを開発するすべての企業で生じるだろう。したがって、裁判の結果は、生成ＡＩの前途に重大な影響を与えることになる。

事前学習の価値は、学習用テキストの価値か？　モデルの価値か？

この問題には、いくつかの側面がある。第一の側面は、知識の価値がどのように生み出されたかだ。ChatGPT は（あるいは、これ以外のものも含めて、大規模言語モデルは）、事前学習において、膨大なテキストを読んで、その能力を高めた（どの程度の文章を読んだかは、第6章の5を参照）。つまり、これらの文章から経済的な利益を引き出したわけである。

ここで問題は、その価値はどのようにして生じたかだ。ニューヨーク・タイムズの記事には、そのままでも価値があった。そして、それは購読料の支払いに対応していた。ところが、生成ＡＩはそれとは別の価値を生み出したのだ。これは、生成ＡＩのモデルによって可能になったことだ。だから、学習によって生じた利益は、OpenAI のものだという議論も成り立つだろう。

ただし、事前学習で使われたテキストがなければその価値は実現できなかったのだから、生み出された価値のかなりの部分が元のテキストの作成者に還元されるべきだという議論も、当然成り立つ。

ChatGPTは、無料では使えない？

この配分をどう決めればよいかは、これまではなかった新しい問題だ。これを、これから決めなければならない。しかし、それを決めるのは、決して簡単なことではないだろう。事実、ニューヨーク・タイムズも、これまでOpenAIと契約を結ぼうと交渉を行なってきた。それが妥結しなかったために、今回の裁判に踏み切ったのである。

しかし、この問題は解決されなければならない。どのように解決されるかによって、将来のメディアや生成AIの姿は、大きく影響を受けることになる。そして、これは、ニューヨーク・タイムズだけの問題ではなく、一般の書籍などについても存在する問題だ。実際、日本新聞協会など4団体が、2023年8月17日、共同声明を発表した。

どのような解決がなされるかによって、将来のマスメディアの姿は大きく異なるものになるだろう。なお、日本の場合は、相手が外国の会社だから、対価を誰がどのように要求するのかという問題もある。また、その支払いが多額になれば、OpenAIはChatGPTを無料で提供することができなくなる。すると、これまで無料（あるいはかなり安い料金）で利用できたものが、できなくなるかもしれない。このように、きわめて重要な問題を引き起こす。

また、中国の生成AIも、事前学習で英語の文献を読んでいると思われるが、この扱いをどうするかという問題もある。

生成ＡＩが従来のメディアを破壊する？

この問題の第二の側面は、生成ＡＩが従来のメディアの存立を危うくすることだ。生成ＡＩが、学習過程でニューヨーク・タイムズの記事を読んでいるとすれば、利用者は生成ＡＩを通じて、同紙の記事を読むことが可能になるかもしれない。そうすると、同紙を購読する必要はなくなってしまう。ChatGPTは、報道のソースとして、ニューヨーク・タイムズに取って代わる可能性があるのだ。そうなれば、同紙の経営は成り立たなくなる。事実、同紙は、この問題が最も重要なことであると述べている。

これは、ニューヨーク・タイムズのような有料の情報源だけの問題ではない。ウェブに無料で提供されている記事についても問題となる。それらは、広告収入で成り立っている場合が多いし、あるいは、一般的な解説記事などから、販売商品やサービスなどのページに誘導することによって、利益を得ている。ところが、元の記事が生成ＡＩを通じて読めるということになれば、人々はウェブサイトを訪れなくなってしまう。

私が行なった実験：生成ＡＩでウェブの記事を読めるか？

私は、これは大変重要な問題だと思っていた。そして、拙著『「超」創造法』（幻冬舎、第12章の5、2023年9月）において、かなり詳しく書いた。

実際、ChatGPTに頼むと、ニューヨーク・タイムズの有料の記事の内容を読める場合もあったのだ。そこで、Bingなどを用いてウェブの記事を読めるかどうかの実験を行った。これは、「ウェブ・スクレイピング」と呼ばれる操作だ。これができれば、人々はウェブを訪れることなく、その内容を読むことができる。

この実験の結果は、あまりはっきりせず、場合によって結果が違う。完全に正確に読めているわけではないのだが、まったく読んでいないとも言えない場合が多かった。

また、ChatGPTでは、有料版のGPT4に、2023年5月にウェブスクロールというサービスが導入され、ウェブを閲覧できることになった。しかし、有料のサイトを読めるという指摘があり、このサービスは急遽停止されたが、その後復活した。

このように、この問題は現在まだ流動的であり、事態がどのように収拾されていくのか、わからない。ただし、これが将来の社会に大きな影響与える問題であることは間違いない。

知識を創り出すにはコストがかかる。だから、知識が相応の対価を得られなければ、知識の生産は過少になる。あるいは、生産できなくなってしまう。しかし、対価が高すぎれば、利用ができない。これについての社会的制度をどう構築するかが、未来の社会の基本を決めることになる。

この問題に関する最初の訴訟であるニューヨーク・タイムズの訴訟において、どのような結果が出るのかを注目したい。

第5章のまとめ

1　ChatGPT に関する文部科学省のガイドラインには、使用の制限に重点があり、教える側がどう変わらなければならないかという問題意識が弱い。

2　ChatGPT の事前学習データの使用料をめぐって、ニューヨーク・タイムズが OpenAI を訴えた。これは、情報の価値がどのようにして生じるかという問題の基本に関わるもので、生成ＡＩの将来に大きな影響を与える。しかし、簡単に答えが出るものではない。

第6章

大規模言語モデルの仕組み

1. うまく使うには、仕組みを知っている必要がある

解説記事には、肝心のことが書いてない

ChatGPTは、これまでなかったまったく新しい道具だ。それを適切に使うには、大まかでも良いから、その仕組みについて知っている必要がある。どんな仕事を頼めるのか？　どんな質問に答えてくれるのか？　どのように指示すれば、望む結果を引き出すことができるのか？　こうしたことを判断するには、ChatGPTの仕組みに関する知識が必要だ。

また、生成ＡＩに関するニュースは連日のように報道されているが、それがどのような意味を持ち、どれほどの重要性を持つのかを判断するためにも、生成ＡＩに関するおおよその知識が必要だ。このような知識は、現代社会に生きる多くの人にとって、必須のものだ。

ChatGPTや生成ＡＩについての解説記事や文献は、すでに山ほどある。ところが、これらを読んでも、知りたい知識がなかなか得られない。解説記事に書いてあることの多くは、読者の立場からすれば、不要なこと、あるいはすでに知っていることであり、その半面で、肝心の知りたいことがわからない。知りたいことは、書いてないか、少しだけしかないという場合が多いのだ。

たとえば、ChatGPTの使い方を考えるときに重要なのは、ChatGPTがどのように能力を高めているのか（どのような学習を行なっているのか？）だ。その方法が知りたい。ところが、それがはっきりしない。

説明がわかりにくい理由　基本的な点が説明されていない

大規模言語モデルでは、単語をベクトルにして処理する。これは、ＡＩの研究者にとっては当たり前のことなので、いちいちそれについて説明をしない。ところが、一般の人からすると、「単語をベクトルで表現する」と言われても、何をするのか、想像もできない。したがって、スタートのところでわからなくなってしまう。

ＡＩに関する説明がわかりにくくなる第二の原因は、専門用語が説明なしに飛び出してくることだ。その意味を知るために、別の文献を見ると、さらに別のテクニカルタームで説明が書いてある。だから、どこまで行っても、意味がわからない。

さらに、日常的な言葉が、特定の意味を持つ専門用語として使われており、その説明がない場合もある。たとえば、「ラベル」という言葉がある。これは日常生活で用いている文房具の一つだが、ＡＩの文献においてはそれとは違う特殊な意味で用いられている。

スパムメールを検出するモデルを開発する場合を例に取って説明しよう。

このモデルの目的は、任意のメールの内容が示された場合に、それがスパムか否かを判別することだ。

機械学習でこのようなモデルを開発する場合、多数のデータを用意する必要がある。各データセットは、メールの内容を示すテキストと、そのメールがスパムか否かの判定からなる。この場合、機械学習に関する文献では、「メールの内容を示すテキスト」と「メールがスパムか否かの判定」を「ラベル」と呼んでいるのである。

ただし、「メールがスパムか否かの判定」を示すラベルがあるデータを集めるには、多大の労力と時間がかかる。これを避けるために、「自己教師あり学習」や「教師なし学習」といった手法が開発された。

この文脈で、「ラベル」という言葉は、「メールの内容を示す、一定の形式の情報」という意味で使われている。日常用語とは大分乖離している。だから、「ラベル」という言葉だけが出てくると、その意味を理解できない。

検索エンジンで「ラベル」と調べても、答えは出てこない。日常用語の「ラベル」は、「名称などを示す情報を記載した紙片」という意味で使われているからだ。AI関係ではこれを特殊な意味に使っているので、「ラベル　機械学習」と検索しなければ、正しい答えを引き出すことができない。

また、日本語訳が適切でない場合もある。Embedded vector は、「畳み込みベクトル」と訳されているのだが、奇妙な日本語訳だ。Embedded というのは、物が表面下に埋め込まれたという意味だ。

「パラメータ」という一般的な用語が、特別の意味で用いられる

もう一つわかりにくいのが、「パラメータ」だ。

ウェブの用語辞典などをみると、「媒介変数」とか「補助変数」という説明が書いてあるが、このような説明をされると、かえってわからなくなってしまう（「媒介」というが、何を媒介するのか？）。

それより、例を示すほうがわかりやすいだろう。たとえば、直線の方程式$y=ax$において、aは傾きを示すパラメータだ。

右に示したのは、「パラメータ」の一般的な意味だが、AIの文献では、このような一般的な意味でなく、特殊な意味を持つ用語として使われている。それは、機械学習モデルの学習過程で調整される値だ。機械学習の目標は、これらのパラメータを訓練データに基づいて最適化し、未知のデータに対する予測性能を最大化することだ。

ディープラーニング（深層学習）モデルのパラメータは、「重み」（weights）と「バイアス」（biases）の二つのタイプがある。重みは、モデル内の各ニューロン間の接続強度を示している。バイアスは、各ニューロンの出力を調整するための値だ。たとえば「GPT3が175億のパラメータを持つ」というのは、このモデルが175億の重みとバイアスの値を持つ、つまり学習と

調整が可能な175億のパラメータを持っていることを意味している。

説明がわかりにくいもう一つの理由は、いろいろな分類があり、それらがどのような基準による分類なのかがはっきりしないことだ。目的や用途についての分類なのか？　それとも手法についての分類なのか？　さまざまな基準による分類が入り交じって現れる。

たとえば、「ChatGPTは生成AIの一部である」と、多くの文献に書いてある。また「大規模言語モデル」という言葉も現れて、「ChatGPTもその一つだ」という説明もある。では、生成AIと大規模言語モデルの関係はどうなっているのか？　文献を調べたのだが、どうも判然としない。検索エンジンでも、適切な答えが得られない。

「教えてもらう方法」が重要

以上の問題に対処する一つの方法は、ChatGPTに家庭教師役を務めてもらうことだ。ただし、「教えてもらう方法」に注意する必要がある。なぜなら、ChatGPTの答えには、誤りが含まれている可能性があるからだ。AIに関することであっても、必ず正しいという保証はない。

まず、漠然とした質問ではだめだ。たとえば、「ChatGPTは、なぜ人間の質問を理解し、答えられるのですか？」という大まかな質問では、意味のある答えは得られないだろう。

それよりは、「教師なし学習がLLMの特徴なのですか？」というような、的を絞った質問がよい。そして、完全に理解できるまで、さまざまな方向から何度も聞く。出てきた専門用語がわからなければ、その意味を聞く。また、同じことを別の側面から聞く。納得がいくまで、同じ問題をさまざまな観点から聞く。そして、「つまり、こういうことですね」と念を押す。

こうした過程を通じて得たChatGPTの答えが論理的に一貫しており、矛盾するところがなければ、ハルシネーションによる誤りに陥っていない可能性が高いと言えるだろう。

ChatGPTがどのように学習して能力を高めているのかについても、ChatGPTと問答を繰り返して理解を深めることができる。たとえば、「教師あり学習、教師なし学習は、機械学習一般についての分類ですか？　それとも、深層学習についての分類ですか？」と聞くと、ChatGPTから、つぎのように明確な答えが返ってきた。「教師あり学習と教師なし学習は、一般的に機械学習の主要なカテゴリーに属する」と言える。機械学習の詳細については、本章の2で述べるが、読者の方々は、このテーマについて実際にChatGPTとの会話を試みられることをお勧めする。きっと、楽しい経験だと実感できるだろう。

ChatGPTに聞けば、知りたいことがわかる

文献を読むのでは、こうはいかない。検索エンジンでも、このような勉強はできない。人間の講師に教えてもらう場合も、何度も同じことを聞くことはできない。セミナーを受けて疑問を抱いても、自分一人でいくつも質問するというわけにはいかない。こうした勉強法ができるのは、大規模言語モデルだけだ。非常に有能な家庭教師が現れたのだ。

政府は、デジタル人材の育成が必要だとし、そのためにリスキリングが必要だとしている。そのために、企業が行なう研修やセミナーに補助金を出している。しかし、そんなことをする必要はない。ここで述べたような方法に従ってChatGPTに家庭教師を務めてもらえば、ずっと効率的に、AI技術についての知識を深めることができる。

2．AIはディープラーニングで進化した

機械学習

機械学習とは、コンピュータが膨大な量のデータを学習することによって、データが持っているパターンを学習し、そのパターンを使用して、新しいデータに対して予測や分類を行なうことだ。

画像認識、自然言語処理など、さまざまな分野で使用されている。たとえば、画像認識のアルゴリズムは、大量の画像データから、猫の画像と犬の画像の特徴を学習し、新しい画像を見た際に、猫か犬かを判別することができる。機械学習の手法としては、図表6－1に示すようなさまざまなものが、試みられてきた。

図表6-1　機械学習をモデルで分類

（1）回帰分析
（2）ランダムフォレスト
（3）主成分分析
（4）ニューラルネットワーク、深層学習（ディープラーニング）
（5）その他

出所：著者作成

ニューラルネットワーク

ChatGPTが用いるのは、機械学習の一つの手法である「深層学習」（ディープラーニング）だ。

深層学習はニューラルネットワークを用いる。これは、人間の脳の神経回路網にインスピレーションを得た計算モデルだ。

ニューラルネットワークは「ニューロン」と呼ばれる単位から構成されている。生物学的なニューロンは、人間や動物の脳にある神経細胞だ。これらは、電気信号を伝達し、処理し、生成する能力を持っている。それによって、感覚、運動、思考などの多くの機能が可能になっている。

人工的なニューロン（または「ユニット」「ノード」）は、人工ニューラルネットワークの基本的な計算要素だ。各ニューロンは、一つ以上の入力を受け取り、それらの入力に重みを掛け、全体を合計した後で、活性化関数を適用する。その結果得られる出力は、つぎの層のニューロンへの入力として送られる。

ニューロンは、入力層、一つまたはそれ以上の隠れ層、そして出力層から成り立っている。入力層はデータを受け取り、それを隠れ層に伝達する。隠れ層は、それぞれがさまざまな重みとバイアスを持つ一連のニューロンから成り立っている。

これらの重みとバイアスは、学習プロセス中に調整され、特定の問題に対するネットワークのパフォーマンスを最適化している。

出力層は、最終的な予測や分類を行なっている。深層学習は、より多くの隠れ層を持つことで、より複雑なパターンや構造を学習する能力を持っている。これは、画像認識、自然言語処理、音声認識など、多様なタスクで使用されている（図表6－2参照）。

ディープラーニングでAIの能力が著しく高まった

前項で述べたように、深層学習はニューラルネットワークの一種で、その「深さ」（隠れ層の数）に特徴がある。ただし、隠れ層の数が多いだけでなく、特定の学習テクニックを用いて、複雑で階層的な表現を学習している。深層学習が開発されたことによって、AIの能力が著しく高まった。以下では、深層学習を中心として述べる。

深層学習モデルは、畳み込みニューラルネットワーク（CNN）、リカレントニューラルネットワーク（RNN）、トランスフォーマー（Transformer）など、特定の種類のタスクに適した特別な方法を使用することができる。

初期の深層学習モデルでは、隠れ層が数層（たとえば3～5層）であることが一般だった。しか

図表6-2　ディープラーニングを利用目的で分類

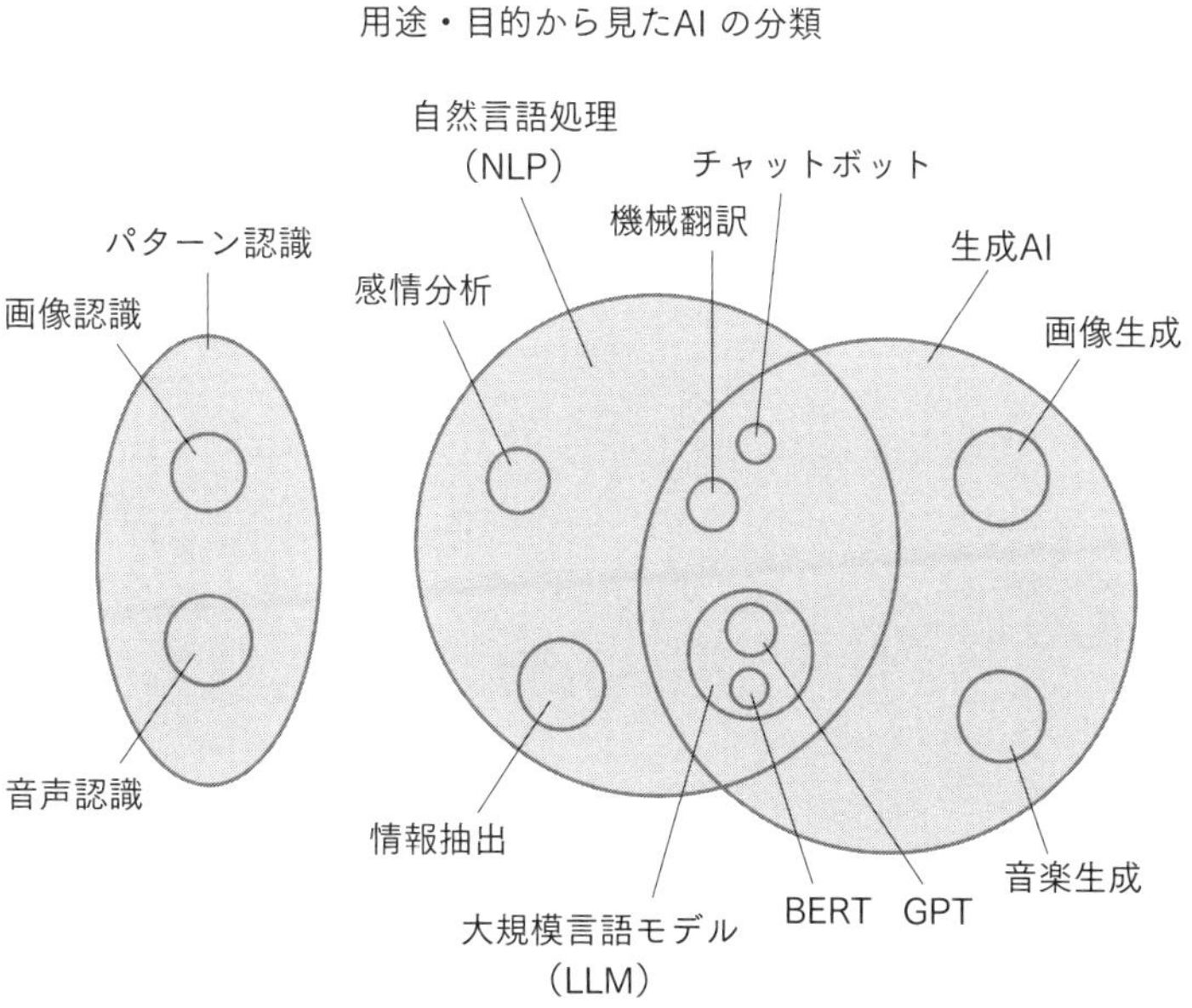

出所：著者作成

し、技術が進化するにつれて、より多くの隠れ層を持つモデルが開発され、さらに複雑なパターンや特徴を学習することができるようになった。最近の深層学習モデルでは、隠れ層が数十から数百にも及ぶことがある。たとえば、画像認識タスクで広く用いられる畳み込みニューラルネットワーク（CNN）の一つである「VGG16」は、16の学習可能な層を持っている。また、GPT3は、175億のパラメータと48のトランスフォーマーブロック（層）を持つ非常に大規模なモデルだ。

3. ディープラーニングのさまざまな手法

深層学習の手法：教師あり・なしなど

深層学習のモデルを教育する手法として、つぎのようにいくつかのものがある（図表6－3）。

- 教師あり学習（Supervised Learning）：入力データとそれに対応する目的の出力データ（ラベル：次項で説明する）から学習する。目標は、新しい入力データに対して正確な出力を予測することだ。
- 教師なし学習（Unsupervised Learning）：ラベルなしに、入力データから学習する。目的は、データの構造やパターンを見つけ出すことだ。
- 自己教師あり学習モデル（Self-Supervised Learning）：モデル自身が教師またはラベルを生成する。モデルは、特定のタスクを解くためにデータ内の潜在的なパターンや構造を学習する。
- 半教師あり学習（Semi-Supervised Learning）：ラベル付きデータとラベルなしデータが同時に存在し、それらの両方を利用して一つの学習タスクを遂行する。

図表6-3　深層学習を手法で分類

（1）教師あり学習
（2）教師なし学習
（3）自己教師あり学習モデル
（4）半教師あり学習
（5）強化学習

出所：著者作成

- 強化学習（Reinforcement Learning）：報酬を最大化するように行動を学習する。これは一連の決定を通じて最適な結果を達成する問題（たとえば、ゲームやロボットの制御）に適している。

AlphaGo は、「教師あり学習」と「強化学習」を使用

コンピュータ囲碁プログラム AlphaGo は、深層学習の手法を使用した。詳しく言うと、以下の二つの部分からなる。

第一は、教師あり学習。まず、人間のプロの囲碁プレーヤーによる数十万のゲームを学習し、ゲームの局面とそれに対する手（ラベル）の組み合わせからニューラルネットワークを訓練した。これにより、AlphaGo は局面を評価し、プロのような手を打つ方法を学んだ。

第二は、強化学習。つぎに、AlphaGo は自分自身と何百万回も対局を行ない、その結果をもとに学習を深めた。敗北したゲームから、何がうまくいかなかったのかを学び、その情報を使用してモデルを更新した。

スマートフォンのLLMは「教師あり学習」

スマートフォンの文字入力の候補語表示において使用されるAIは、大規模言語モデルLLMの一種だ。LLMは、巨大なテキストデータセットをもとに訓練され、言語のパターンや関連性を学習し、ユーザーが入力するテキストの文脈や前の単語などを考慮し、最も適切な候補語を予測する文脈に基づいたつぎの単語やフレーズを予測する。

スマートフォンの文字入力における候補語の表示は、一般的に教師あり学習の手法を使用している。具体的には、大規模なテキストデータセットを使用して、モデルが言語の統計的パターンを学習し、つぎの単語やフレーズの予測を行なう。

GPTなどは、「自己教師あり学習モデル」と「教師あり学習」

OpenAIが開発したGPTが採用しているのは、「自己教師あり学習モデル」だ。大量のテキストデータ（インターネット上の書籍や記事、ウェブサイトなど）を使用し、モデルは、ある単語やフレーズが与えられたときに、全体の文脈との関係で、その意味を把握する。こうした方法によって、大量のデータから多くの情報を吸収する（詳しくは、本章の5を参照）。

そして、特定のタスク（文章の校正、質問応答、翻訳など）に対して、その知識を適用し、ある単語のつぎに来る確率が最も高い単語やフレーズを予測して出力する（詳しくは、本章の6を参照）。

このアプローチの特徴は、学習プロセスがデータ自体から「ラベル」を生成することだ。これにより、人間が介入してラベルを付けることなく、データからパターンを学び取ることが可能になる。

なお、モデルは、特定のタスクを実行するために「微調整」（ファインチューニング）されることがある。これは「教師あり学習」であり、モデルは特定のタスク（たとえば質問応答、感情分析など）を遂行する方法を学習するために、ラベル付きのデータセットを用いて訓練される。

教師ありの場合には、ラベルのある学習データを準備するために、多大の労力が必要となる。しかし、自己教師ありの場合には、それほどのコストを投じなくとも、大量の学習データを読み取ることが可能だ。そのため、能力が急速に向上する。ChatGPTが短期間のうちに急速に能力を高めえたのは、自己教師ありのモデルを利用したからだ。

その一方で、ChatGPTが多くの問題を抱えているのも事実だ。先の例で述べたスパムメールの場合、判定者がそのメールがスパムであるか否かを判定し、ラベルを付ける。判定者の判断が正しければ、出力も正確なものとなる。

しかし、ChatGPTの場合、ウェブの文章自体が教師の役割を果たすわけであり、誰も正確な答えを示すわけではない。したがって、仮にウェブの記事が大量の投稿によって影響されるような事態が生じれば、それが正しいと判断されてしまう。たとえば、特定の個人を誹謗する投稿が行なわれれば、それが正しいと判断されるかもしれない。逆に、「トランプはアメリカの救世主だ」という投稿が大量になされれば、ChatGPTはそれに従った回答を出すこととなるだろう。これが選挙に影響を及ぼせば、大きな問題だ。

なお、以上のようなメカニズムを考えれば、ChatGPTがこれまでにないまったく新しいアイディアを生み出すことは不可能であることがわかる。その出力は、ウェブでよく見られる至極普通の考えにすぎないのだ。

4．大規模言語モデル（ＬＬＭ）

深層学習のさまざまな用途

深層学習を目的（あるいは用途）で分類すると、音声認識、画像認識、自然言語処理（ＮＬＰ：Natural Language Processing）などがある（図表6－2）。自然言語処理とは、自然言語をコンピュータに理解させるための技術だ。その目的は、ユーザーの質問に答える、文章を生成する、文章の要約や翻訳を行なうなどである。大規模言語モデル（ＬＬＭ：Large Language Models）は、ＮＬＰを行なうための手法の一つだ。ＧＰＴはＬＬＭの一種だ。

大規模言語モデルは、大量のテキストデータからパターンを学習し、新たなテキストを生成したり、自然言語についてのタスク（たとえば文章の分類、情報抽出、文章の要約など）を行なうことができる。大規模言語モデルは、ディープラーニングを用いて訓練される。この訓練プロセスでは、モデルは大量のテキストデータを通じて、単語や文の組み合わせに基づく予測を行なう方法を学んでいる。

ＬＬＭは、非常に大規模で、数十億から数千億のパラメータを持っている。これらのパラメータは、訓練データを通じて得られた知識を表現している。モデルが大きければ大きいほど、より多くの情報を学び、より複雑なタスクを解決する能力が高まる。

大規模言語モデルと生成ＡＩの位置づけ

図表６－２はChatGPT の位置づけを示す。ここで重要なのは、「自然言語処理」という括りと、「生成ＡＩ」という括りは別のものであり、それらの共通集合の中に「大規模言語モデル（ＬＬＭ）」が入っていることだ。ChatGPT は大規模言語モデルの一つだ。ＬＬＭには、ChatGPT のほかに、Google のＢＥＲＴなどがある。２０２３年の7月にＭｅｔａが、次世代のオープンソース大規模言語モデルである Llama 2 の提供を開始した。

このようなニュースがどのような意味を持ち、どれだけ重要なものなのかを判断するには、ＬＬＭの位置づけについて、正確な知識を持っていることが必要だ。

これまで開発されたＬＬＭ

これまで開発された代表的なＬＬＭと、関連サービスとしては、つぎのようなものがある。

- OpenAIの「ChatGPT」：ＧＰＴ３は１７５０億のパラメータを持つ。ＧＰＴ４は、これを大幅に超えるとされる。
- GoogleのＢＥＲＴは、２０１８年に発表された初期の言語モデル。パラメータ数３・４億。Googleの対話型ＡＩ「Bard」に当初採用されていたのが、LaMDA（注１）だ。PaLMは２０２２年にGoogleが発表したＬＬＭで、パラメータ数を多くして性能を向上させた。パラメータ数は５４００億といわれており、ＧＰＴ３を大きく超える。現在は、「PaLM2」になっている。「Bard」をはじめ、各種Googleのサービスに活用される。Googleは２０２３年8月30日、Google検索の結果に生成ＡＩがまとめた情報を表示する「生成ＡＩによる検索体験」（Search Generative Experience：ＳＧＥ）の試験運用を開始した。
- Metaは２０２３年2月に、「LLaMA」と呼ばれるアカデミア用途で自由に使えるオープンなＬＬＭを公開した。英語に特化したモデル。パラメータ数は、70億～６５０億。
- Amazon.comは、２０２３年4月13日、傘下のAmazon Web Servicesを通じて生成ＡＩサービス「Amazon Titan」を提供すると発表した。9月13日には、出品する商品について簡単なキーワードや数行の文章を入力するとＡＩが自動で商品説明を完成させるサービスを導入すると発表した。また、音声アシスタント「アレクサ」に生成AI機能を搭載すると9月20日に発表した。

・モザイクML：「規模の小さい大規模言語モデル」というと形容矛盾のような気がするが、そうしたものは開発されている。その一つが、モザイクMLによるものだ。同社は2021年に創業したAIスタートアップ企業。本社はサンフランシスコ。2023年6月に約300億パラメータを持つLLM「MPT－30B」を発表した。前モデルの「MPT－7B」は約330万ユーザーがダウンロードしている。MPT－30Bは、品質面ではGPT3をしのぐという。パラメータ数が少ないため、コストを安く抑えられる。この技術を使えば、数十億パラメータのモデルを数時間でトレーニングできるという。トレーニング費用は数千ドルで済む（注2）。

・NECは、日本語大規模言語モデルを開発した。独自の工夫により高い性能を実現しつつパラメータ数を130億に抑えた。

（注1）紛らわしいのだが、BERTは自然言語処理技術で、2019年12月には日本語Google検索にも導入された。Bardは、Googleが開発した生成AI。
（注2）「Databricks がLLM開発のMosaicMLを13億ドルで買収へ、OSSの生成AIをさらに強化」日経クロステック、2023年6月27日。

●富士通に加え、理化学研究所、東京工業大学、東北大学が連携した研究開発プロジェクトで、スパコン「富岳」を用いた大規模言語モデルの研究開発が始動している。
●OpenCALMは2023年にサイバーエージェントが一般公開した日本語LLMだ。オープンな日本語データで学習されており、最大68億パラメータ。
●東京大学の松尾研究室発のAI（人工知能）スタートアップである株式会社ELYZA（イライザ）は、キーワードから日本語の文章を生成できる大規模言語モデルの開発に成功したと発表、文章執筆AIのデモサイト「ELYZA Pencil」として一般公開を開始した。これらのほかにも、いくつかの試みがなされている（注3）。

巨額のコストをどう調達するか？

GPT3の学習コストは数百万ドルから数千万ドル（数億円から数十億円）の範囲であると推定されている。しかし、これは推定であり、OpenAIが公式に発表した情報ではない。

2019年7月に、米マイクロソフトは、OpenAIに10億ドル（約1087億円）出資することを発表した。これに加え、2023年1月23日、マイクロソフトがOpenAIに今後数年で数十億ドルを追加投資すると発表した。これに先立ち、米メディアでは投資規模について最大100億ドル（約1兆3000億円）との観測も出ていた（注4）。

5. エンコーダが文章を読んで理解する

ChatGPTはなぜ自然言語を理解できるのか？

大規模言語モデル（LLM）は、人間の自然言語による問い合わせや指示に対して、自然言語で答えを示してくれる。ハルシネーション（幻覚）によって、固有名詞や統計データなどに関して答えの内容が間違っていることがある。しかし、普通は、かなり正確だ。

人類は、これまで利用できなかった新しい強力な道具を手に入れたことになる。これがわれわれの社会に甚大な影響を与えることは間違いない。では、LLMは、なぜ自然言語を操れるのか？　その仕組みを、すべての人が詳細に知っている必要はない。しかし、おおよその仕組みを知っていることは必要だ。

なぜなら、LLMは何ができて何ができないかを判断するには、こうした理解が不可欠だから

（注3）NTTデータ先端技術研究所「世界で開発が進む大規模言語モデルとは」
（注4）日本経済新聞、2023年1月24日。

だ。LLMの能力が高いからといって、人間の仕事のすべてを取り上げてしまうわけではない。どのような仕事が人間にしかできないかを正しく知ることは、今後の人生設計にとってきわめて重要な意味を持つ。その反面で、LLMが、人間より正確でしかも高速でできる仕事は、これから急速にLLMに置き換えられるだろう。そうした仕事に執着するのは得策ではない。LLMができない仕事に転換すべきだ。このような判断をするために、LLMに関する基礎知識が必要だ。

また、LLMを適切に使うためにも、以上のような理解が重要な役割を果たす。たとえば、どのようなプロンプトを書けば、正確で適切な答えが得られるのか？　やみくもに使っても、仕事の能率が上がるとは限らない。それだけではない。誤った答えを信用して使えば、甚大な被害を受けることもある。だから、LLMの限界についても、正確に把握している必要がある。

トランスフォーマーモデルとアテンションメカニズム

ChatGPTなどの基礎になっているのは、「トランスフォーマー」という仕組みだ。したがって、ChatGPTなどを適切に使うためには、トランスフォーマーのおおよその仕組みを知っている必要がある。これを以下に解説する。

トランスフォーマーモデルは、自然言語処理（NLP）タスクにおけるニューラルネットワークの一種だ。2017年に“Attention Is All You Need”という論文によって初めて提案された（この論文は巻末参照文献の中に掲げてあるが、きわめて難しい）。トランスフォーマーモデルである

BERTやGPTは、自然言語処理のさまざまなタスクで高い性能を発揮している。

従来のシーケンスモデリングアプローチ（リカレントニューラルネットワークRNNや、その派生であるLSTM、GRU）は、シーケンス（たとえばテキスト）を順序正しく処理するために、過去の情報を保存し、それに基づいてつぎの情報を生成する仕組みを持っている。しかし、これらのモデルは長いシーケンスを処理する際には困難を伴うことがある。

トランスフォーマーモデルは、「アテンションメカニズム」を使用して、この問題を解決できる。アテンションメカニズムでは、モデルがシーケンス内の任意の位置に直接「注意」を向ける。具体的には、トランスフォーマーモデルは、入力シーケンス全体（たとえば文全体）を一度に処理し、各単語が他のすべての単語とどのように関しているかを学習している。これにより、文脈による意味の変化や、文の中で離れた位置にある単語間の関連性をより正確に捉えることができる。

普通になされる説明は、あまりに粗雑

ChatGPTなどの動作についてしばしば行なわれる説明は、「ある単語のつぎに来る確率が高い単語を並べていく」というものだ。

この説明はまったく間違いとは言えないが、あまりにも粗雑だ。たとえば、「ゲティスバーグの戦いで」という文章に続く言葉として最も確率が高いのは、「リンカーン大統領は」だろう。しかしあらゆる場合にそうであるわけではない。まったく別のことを論じている文章は、いくらでも

ある。だから、最も高い確率の文章をつなげるだけで役に立たないことは、明らかだ。

そして、このような理解では、ChatGPTの使い方の示唆は得られないだろう。なぜなら、この説明では、ChatGPTがどのようにして文章の意味を理解しているのかがまったくわからないからだ。後で述べるように、文章を理解する仕事は、トランスフォーマーの半分である「エンコーダ」と呼ばれる仕組みによってなされており、きわめて重要なものだ。ChatGPTがどのようにして文章の意味を理解しているかを知ることは、ChatGPTをどのような用途に使い、どのようなプロンプトを書くかを考える上で重要な意味を持っている。

とくに、何ができるのか、どの程度のことをできるのかの判断は重要だ。たとえば誰もが喜ぶような『ローマの休日』の続編を書いてほしいというような要求に応えられるのだろうか?

エンコーダの目的は、文章の意味を理解すること

トランスフォーマーは、「エンコーダ」と「デコーダ」という二つの部分から構成されている。

エンコーダの役割は、入力された情報を理解することだ。入力された自然言語を数値化し、後で述べるような操作をすることによって、その文章を理解する。そして、その情報をデコーダに引き渡す。デコーダはその情報を受け取り、人間からの指示や質問に対して、答えを生成する。

この仕組みは、もともとは機械翻訳のために作られたものだ。その場合には、エンコーダへの入力は日本語、デコーダからの出力はその外国語訳ということになる。本節では、エンコーダに

ついて述べる（なお、一般的には、エンコーダとは、情報やデータなどを符号化する仕組み。デコーダとは、エンコーダによって変換されたデータを元のデータに変換する仕組みのことだ）。

エンコーダはまず、入力された文章を「トークン」という単位に分割する。トークンは、多くの場合、単語に相当する。このため、以下の説明では「単語」という言葉を用いる。たとえば、「猫は魚が好きだ」という文章の場合、トークンは、「猫は」「魚が」「好きだ」となる。

エンコーダは、まず文中のいずれかの単語、たとえば「猫」という言葉に注意を当てる。そして、この単語が文中の他のすべての単語とどのように関連しているかを数値化して表す。

単語はベクトルとして表現される

大規模言語モデルでは、各単語はベクトルとして表現される。ベクトルは、単語の意味（セマンティクス）を捉えるとともに、単語が文中でどのように関連し合っているか（文脈や関係）を表現する。モデルは、これらのベクトル表現を利用して、単語間の関係を理解し、文脈に適した予測を行なうことができる。

トランスフォーマーモデルでは、単語の意味は、初めに、埋め込み層（Embedding Layer）を通じて基本的なベクトル表現として表される。この基本的なベクトル表現は、単語の初期的な「意味」を捉える。

つぎに、新しい文章が与えられると、「クエリベクトル」「キーベクトル」「バリューベクトル」

が生成される。これらを用いて、単語間の関係と文脈を理解する。

これらのベクトルは、特定の単語の「意味」を直接表現するのではなく、単語の関係と文脈を表現するために使用される。したがって、単語の「意味」は、基本的なベクトル表現と、それに続くトランスフォーマー・レイヤーによってさらに変換されたベクトル表現の組み合わせによって表される。このプロセスは、単語間の関係と文脈を捉えるのに非常に効果的だ。

単語を「埋め込みベクトル」で表わす

この過程で「埋め込みベクトル（Embedding Vector）」という概念が重要な役割を果たす。

まず「ベクトル」とは、一列に並んだ数字だ。トランスフォーマーでは、単語を、固定長のベクトルに変換して処理する。それを「埋め込みベクトル」という。つまり、埋め込みベクトルは、単語の意味を捉え、その意味を数値的に表現したものだ。

単語は、そのままでは数学的な操作ができない。しかし、埋め込みベクトルに変換することによって、コンピュータでの演算が可能となる。ベクトル間の算術演算によって、言葉の関係を示すことができる。たとえば、「王」－「男」＋「女」＝「女王」といった計算ができる。

埋め込みベクトルは、大量のテキストデータを用いる学習によって作られる。得られた埋め込みベクトルは、機械学習モデルの入力として使用される。トランスフォーマーモデルの場合、最初の層で、単語を埋め込みベクトルに変換し、その後の層で、このベクトルを利用して処理を行なう。

クエリ、キー、バリューの計算が重要

各単語に対して「クエリ」と呼ばれるベクトルと「キー」と呼ばれるベクトルが生成される。一つの単語からのクエリが別の単語からのキーと一致すると、第二の単語が第一の単語にとって意味のある内容を持っていることを意味する。そこで、第三のベクトルである「バリュー」が生成され、それが第一の単語と組み合わされて、文脈の中での第一の単語の意味を明らかにする。「猫は魚が好きだ」という文章があるとする。エンコーダは、この文章の意味を、クエリ、キー、バリューという概念を用いて処理する。ここがトランスフォーマーの最も重要な部分だが、この理解は容易でない。

各単語のクエリベクトルは、この単語が文章内の他の単語とどれだけ関連しているかを理解するための情報を持っている。

各単語のキーベクトルは、その単語が他の単語のクエリベクトルとどれだけ関連しているかを示す情報を持っている。言い換えると、「猫は」のクエリが他の単語とどれだけ関連性を持っているかを調べる際の「ターゲット」としてキーが利用される。

「猫は」のクエリベクトルは、文章内の他の単語のキーベクトルと比較される。この比較を通じ

て、各単語間の関連性の強さが計算される。ここで計算された関連性の強さをもとに、各単語のバリューが重みづけされる。

バリューは、各単語が持つ情報や内容を表す。最初は元のベクトルをもとにした情報や内容を表わしているが、その後のエンコーダの処理とアテンションメカニズムを経て、文脈を考慮した情報を持つベクトルに変化する。たとえば、クエリとキーの間の関連性に基づいて、「魚が」という単語が「猫は」と強く関連していると判断された場合、「魚が」のバリューが主に取り込まれることになる。

重みづけされたバリューベクトルを合成することによって、「猫は」という単語に関する新しいベクトルが生成される。このベクトルは、元の「猫は」の情報と、文脈におけるその他の単語との関連性を反映している。

このように、クエリベクトルとキーベクトルは、単語間の関係や相関を計算するためのツールとして機能する。

異なる文章では、単語の解釈が違うものになる

たとえば、「猫は魚が好きだが、人参には興味がない」という文章があるとする。この場合、「猫」のクエリベクトルは、「魚」のキーベクトルと高い相関を示し、「人参」のキーベクトルと低い相関を示すだろう。

クエリベクトルとキーベクトルの相関が計算された後、この相関スコアを利用して、バリューベクトルを計算する。「猫」のクエリベクトルが「魚」のキーベクトルと高い相関を示す場合、魚のバリューベクトル（魚に関連する情報や属性）は、「猫」に強く影響を与えることになる。つまり、「猫」に関連する情報は、「魚」の属性や特性を強く含むようになる。

一方で、「猫」のクエリベクトルと「人参」のキーベクトルとの相関が低ければ、人参のバリューベクトル（人参に関連する情報や属性）は、「猫」の情報にあまり影響を与えないことになる。つまり、「猫」に関連する情報は、「魚」のバリューによって主として形成され、「人参」の影響は限定的になる。つまり、猫という言葉を理解する場合、魚という概念は重要な役割を果たすが、人参という概念は重要でない、ということになる。

これに対して、「多くの猫は人参に興味がないが、うちの猫は人参が好きだ」という文が与えられた場合には、トランスフォーマーモデルは、この特定の文脈を捉えて、「猫」のクエリベクトルと「人参」のキーベクトルの相関を高く評価するだろう。

このプロセスは、モデルが文脈依存の関係やニュアンスを理解し、一般的な知識や事前知識を修正して、特定の文脈や状況に適した解釈を提供できるようにするためのものだ。このようにして、モデルは文脈に応じて異なる関係や属性を捉えることができる。

以上のプロセスを通じて、エンコーダは「猫は魚が好きだ」、あるいは「多くの猫は人参に興味がないが、うちの猫は人参が好きだ」という文脈の中での「猫は」という単語の意味を理解し、その結果を新しいベクトルとして出力する。

エンコーダは、このようにして計算された情報をデコーダに引き渡す。デコーダは、それを用いて利用者からの指示や質問に答えることになる。このメカニズムについては、次節で説明する。

6．デコーダが出力を生成する実に不思議な仕組み

デコーダの役割

デコーダは、トランスフォーマーの後段に位置する部分だ。エンコーダは、入力された文章を、前節で述べたメカニズムによって分析し、その意味を捉える。そして、結果の情報が、デコーダへと供給される。デコーダの役割は、エンコーダから受け取った情報を基盤として、適切な文や応答を生成することだ。英語から日本語への機械翻訳の場合には、デコーダの役目は、日本語の適切な単語や句を逐次的に生成することだ。

デコーダは、自らの出力を順次入力として系列を生成する。つまり、あるステップで出力されたトークンが、つぎのステップの入力に追加されていく。

デコーダが答えを生成する過程

以上をもう少し詳しく説明すると、つぎのとおりだ。最初に、システムはユーザーから提供された質問テキストを解析し、モデルに適した形式に変換する。

つぎに、モデルは、入力テキストから特徴を抽出し、その特徴を用いて文脈を理解する。抽出された特徴は、モデル内部に格納される。これは、テキストの構造や意味を把握し、つぎのステップへと進むための情報源として利用される。

そしてすでに学習してある知識の体系と合わせて答えを再生していく。その場合、逐次、答えを作っていく。つまり、デコーダはトークンを一つずつ生成する。この際、以前に生成したトークンの情報や全体の文脈を考慮しながら、最も確率的に高いトークンを選び出す。

デコーダは各トークンに「スコア」を割り当てる。このスコアは、各トークンがつぎのトークンとして生成される「適合度」を示す。スコアは、デコーダの現在の内部状態と各トークンの特徴ベクトルをもとに計算される。

得られたスコアをソフトマックス関数に通すことによって、スコアを確率分布に変換する（注5）。ソフトマックス関数は、各トークンのスコアを0と1の間の確率に変換し、すべての

（注5）ソフトマックス関数とは、複数の出力値の合計が1・0になるように変換して出力する関数。

トークンの確率の合計が1になるように調整する。この確率分布を用いて、デコーダはつぎのステップ（トークンの選定）で最も適したトークンを選び出す。このプロセスを繰り返すことで、次第に答えのテキストが生成されていく。

デコーダが確率判断で出力を決めるのは自然なこと

前節で述べたエンコーダによる文章理解の要点は、つぎの2点だった。第一に、単語（トークン）をベクトル（数字の組）によって表わす。このベクトルは、単語の意味や文中での位置情報を示す。

第二に、アテンションメカニズムは、ある単語が他の単語とどれだけ関連しているかを計算する。たとえば、猫という言葉は、哺乳類、犬、ペットなどという言葉と関連が強いものとして理解されているだろう。これによって、文全体の意味を理解する。新しい文章が与えられると、もともと持っている単語間の関係が見直されて更新される。これによって、モデルは異なる文脈での単語の意味を柔軟に捉えることができる。細かい点は別として、おおよその仕組みは納得がいくものだ。

では、デコーダによる出力はどうか？　すでに述べたように、単語は確率的判断に基づいて選択されている。この方法を問題視する人がいる。だが、出力の選択は、確率的判断によらざるをえないと思う。

ChatGPT は成り行き任せ。全体を考えて答えているのではない

私が理解できないのは、出力が「順次作られていく」という点だ。つまり、最終的な出力が全体としてどのような形になるかという見通しなしに、回答をしていることだ。最初の言葉を決め、そのつぎは、そのつぎは、というように決めていく。おおよその見通しがあるわけではなく、成り行きまかせだ。

人間でも、条件反射的にペラペラと話す人がいる。全体としてどのようなことを話すという見通しなしに話し始め、成り行きに任せてどんどん話していく。そして、話が終われば、けろっと忘れてしまう。しばらく経ってまた同じことを聞くと、全然違う内容のことをベラベラ喋り出す。

人間には、これと正反対の人もいる。何かを聞かれると、沈思黙考し、考え抜いたあと、話し出す。つまり、答えの全体を考え、全体構想ができてから、話し出すのだ。

前々項での説明によるかぎり、ChatGPT などのＬＬＭは、前者のタイプということになる。実際、ChatGPT によって答えが再生される過程を見ていると、何回かの試行錯誤を行なったあとで、最終的な答えが示されるというわけではない。そうではなく、順次、言葉を並べていく。そして、それが見直されることはない。

ChatGPTは答えを見直さないのか？

私はかねてから「全体が理解できないと部分は理解できない」と考えているので、全体に対する見通しなしに話していくことがありうるとは、まったく理解できないことだった。そこで、「ChatGPTは、全体の見通しなしに答えを生成しているのか」と何度もChatGPTに確かめた。答えは、「ChatGPTは、長い応答を生成する際に、全体的な見通しを持っているわけではありません」というものだった。このことは、「ChatGPTは信念を持っていない」と表現してもよいだろう。ここで問題となるのは、確率的判断で答えていることではなく、全体像を持たずに成り行き任せで答えを生成していることだ。

そこでさらに、「人間は文章を書いている途中で見直して、一度書いた文章を書き直すことがある。音声入力も、一度出力した結果を、後から見直して修正することがある。ChatGPTがそれをしないのは問題ではないだろうか？」という問いをChatGPTに投げかけた。これに対して、つぎの答えが返ってきた。

「複雑な文書の作成や編集のようなタスクでは、人間のような見直しと修正のプロセスが欠けていることが問題となる可能性がある。このような機能の開発は、AIテキスト生成技術の将来的な進歩の一部として検討されるべきだ」

ChatGPTはコンテキストを考慮する

もっとも、ChatGPTは、この問題に関して、「おおよその内容が完全に事前に決定されているわけではないのだが、以下の要因により、出力の方向性や内容が影響を受ける」とも述べている。

要因の第一は、事前学習の知識だ。それがモデル内に組み込まれており、モデルが質問に答える際や文章を生成する際の基盤となる。つまり、モデルは過去の入力やその応答の一部を一時的に覚えており、それをもとにつぎの文やフレーズを生成するというのだ。

第二は即時のコンテキストだ（「コンテキスト」とは、「文脈」、「前後関係」などという意味）。これは、ユーザーの質問や指示文などだ。これらは、モデルがどのような情報や答えを提供すべきかの直接的な指示となる。

要するに、「モデルは、入力されたコンテキストと事前学習の知識をもとに、動的に最も適切と判断される出力を確率的に生成する」ということだ。だから、完全に先の見通しなしに答えているのでもないことになる。

こうしたことを考えると、「ChatGPTは、ある言葉のつぎに来る確率が最も高い言葉を選択して、文章を作っていく」という一般になされている説明が、あまりに粗雑であり、不完全なものであることがわかる。

同じ質問に違う答え

以上で述べたことは、ChatGPT の用い方にも影響を与える。同じような趣旨の質問を違う形で質問すると、まったく違う答えが戻ってくることがよくある。それどころか、まったく同じ質問しても、違う答えが返ってくる場合がある。

これは、右に述べたデコーダの出力メカニズムに起因する現象なのだろう。つまり、最初の段階での言葉の選び方によって、その後の回答がまったく違うものになってしまうのだ。このような回答に何度も出会って、当惑することが多い。

例を示そう。「ChatGPT から的確な答えを引き出すには、ChatGPT の役割を規定したほうがよい」という意見がある。たとえば、「あなたは、大企業の経営コンサルタントです」というように規定するというのだ。これが有効な方法かどうかを ChatGPT に尋ねたところ、最初は、そのような方法は意味がないという答えが返ってきた。ところがしばらく経って同じ質問をしたところ、この方法は有効だという。

これは、事実や統計的な数字などに関する誤りではないという意味で、通常言われるハルシネーションとは性質の異なる問題だ。とはいえ、正反対のアドバイスをされては、どちらに従ってよいかわからず、途方に暮れる。

プロンプトの書き方への影響

以上で述べたことは、プロンプトの書き方にも影響を与える。プロンプトの書き方として、「ゼロショット・プロンプティング」と、「フューショット・プロンプティング」が区別される。後者は、例題をいくつか示した後、質問や指示をするものだ。それに対して前者は、いきなり質問・指示するものだ。

先に見たようなデコーダの出力メカニズムを考慮すると、フューショット・プロンプティングのほうが、利用者の意図に合った答えが得られるように思われる。なぜなら、例題を示すことによって、答えの始まりの部分の言葉の選択を、こちらの意図に近いものに誘導していくことができるように考えられるからだ。

この点をChatGPTに尋ねたところ、「そういう場合もあるが、必ずしもそうではない」という答えだった。

ChatGPTはデコーダのみを活用する

ChatGPTにおいては、以上の仕組みが一部変更されている。GPT系のモデルでは、デコーダのみを活用して言語生成が行なわれるのだ。入力テキスト（指示文や質問文）は、直接デコーダに供給され、デコーダがそのテキストを理解し、適切な応答を生成する。このプロセスは、事前学習と微調整のフェーズで行なわれる大規模な学習によって可能になる。

ChatGPT は、2021年9月までの大量のテキストデータを学習している。この学習過程では、単語の意味だけでなく、文の構造、文脈における単語の使い方など、言語の多面的な特性が取り込まれている。事前学習フェーズで、モデルは大量のテキストデータを利用して言語のパターンを学習し、微調整フェーズでは、特定のタスクに対するモデルの性能を向上させるために追加の学習が行なわれている。したがって、ChatGPT は、エンコーダなしでも、指示文や質問文を理解し、適切な応答を生成することができるのだ。

GPTのようにデコーダをベースとしたモデルは、要約、対話、翻訳などのタスクに適用しやすいモデルだ。なお、Google のBERTは、エンコーダ部分のみを用いている。エンコーダをベースとしたモデルは、文書分類などに用いるという使い方が一般的だ。

あらかじめ行なっておく学習を事前学習（pre-training）と呼び、その後の再学習をファインチューニング（fine-tuning）と呼ぶ。ファインチューニングなしで特定のタスク用にモデルを作る場合は、モデルのパラメータをランダムな値で初期化し、そのタスク用に調整していく。これに対してファインチューニングは、モデルの初期値として事前学習後のパラメータを用いることで、具体的なタスクのための学習を効率化する。

7. ChatGPTは、どのくらい読書をしたか？

ChatGPTが博識なのは、大量の事前学習をしたから

ChatGPTは、実に博識だ（注6）。これは、ChatGPTが非常にたくさんの文献を読んだからだ。そして、読んだだけでなく、（本章の5で説明したようなAIの流儀で）その内容を理解し、そこに書いてあったことを記憶したからだ。この過程を「事前学習」と言う。

どのくらいの事前学習をしたのかについて、詳しいことは公表されてないのだが、2022年11月末に公表されたGPT3モデルの場合、1TB（テラバイト）程度のテキストデータを学習したと言われている（注7）。最新版のGPT4が、これより多くのデータを学習したことは間違

（注6）ただし、事前学習は2021年9月までのデータにしか行なっていないので、それ以降のことについては答えられない。

（注7）45TB（テラバイト）のテキストデータに対して、いくつかの前処理を行なって絞られた570GB（ギガバイト）のデータセットを使って学習したとも言われる。TB、GBについては、注8と9を参照。

いない。

これは、実は大変な量なのだが、「テラバイト」と言われてもピンと来ない。そこで、「書籍に換算したらどの程度になるか」を考えて見よう。

人間の5000倍の書籍を読んだ

「バイト」というのは、情報量を表わす単位だ。書籍の情報量もバイトで表わすことができる。通常、1文字が平均3バイト程度であるとされる。そこで、1ページが400文字で、300ページの書籍であれば、約360KB（キロバイト）ということになる（注8）。

1TBは、この約300万倍だ（注9）。つまり、ChatGPTは約300万冊の本を読んだことになる。一方、文部科学省の調査によれば、日本人の平均年間読書本数は12、13冊だ。この50年分とすると、600冊程度ということになる。したがって、ChatGPTの読書量は、人間と比べると、約5000倍ということになる（注10）。

日本の国会図書館の情報量とほぼ同じ

日本の国会図書館が保有している文書や書籍の総数は、ChatGPTの最後のトレーニングの時点（2021年9月）で、数百万冊だと言われる。だから、ChatGPTが読んだテキストの量は国会図書館の蔵書レベルだと言える。

なお2021年9月時点での日本語ウィキペディアのサイズ（テキストのみ）は、数GBのオーダーだと言われる。したがって、ChatGPTの学習量は、この数百倍と言える。

学術論文は別として、通常の記事であれば、ウィキペディア程度の知識量と正確度があれば、一応は十分だろう。ChatGPTはその数百倍の知識を持っているので、日常の用途には十分すぎる量の知識を持っていると言える。

能力の限界をChatGPTに聞いたら

このように、ChatGPTのほうが人間より物知りだ。では、ChatGPTのほうが人間より優れていると言えるだろうか？ これをChatGPTに聞いたら、つぎのような答えが返ってきた。まず、評価の基準が異なるとして、ChatGPTと人間の比較においていくつかのポイントを挙げた。

第一は、情報の量だ。ChatGPTは大量のテキストデータを学習したので、広範なトピックにわたる情報を知っている。しかし、正確に言えば、「知っている」というよりも、「学習データに基づいて回答を生成する能力を獲得した」と言うべきものだ。

（注8）3x400x300＝360KB。なお、KB（キロバイト）とは、1000バイトのこと。

（注9）1MB＝10^6B, 1GB＝10^9B, 1TB＝10^12Bなので、10^12÷(3.6x10^5) B≒3x10^6＝300万倍

（注10）300万÷6000＝5000倍

第二は、情報の深さだ。専門家は、特定の領域について深く専門的に学んでいる。しかし、ChatGPTは広範な情報を持っているものの、特定の専門的な内容に関しての深い洞察や専門的な判断は持っていない。

第三は、理解と応用だ。人間は情報を理解し、異なる状況下での応用や、斬新なアイディアの創出ができる。しかし、ChatGPTは学習データに基づいて回答を生成するだけで、真の「理解」や「創造性」は持っていない。

第四は、感情と経験だ。人間の判断や行動は、感情や過去の経験に基づいて行なわれることが多い。これは人間の強みであり、弱みでもある。ChatGPTは感情や経験を持っていないので、感情的な判断や共感はできない。

第五は、誤りと修正だ。人間は間違いを犯すことがあり、その間違いから学ぶ能力や、自らの考えを修正できる能力を持っている。それに対して、ChatGPTは、自らの回答が間違っていたことを「認識」したり、「学び直す」ことができない。

以上のように、ChatGPTと人間は、それぞれ異なる強みと弱みを持っている。ChatGPTは情報の提供や迅速な回答生成に優れているが、人間の持つ深い理解、感情、経験、創造性などの要素は模倣できない。したがって、「優れている」というのは、目的や状況によって異なると言える。

以上がChatGPTの答えだった。

真に創造的な作業ができるのは人間だ

ChatGPTは、創造することができない。人間でもすべての人が創造できるわけではないが、優れた創造を行なえる人もいる。しかし、AIに創造はできない。これは、非常に重要なことだ。

文章もそうだ。私は、ChatGPTが書く文章は、100点ではないと考えている。学習した文章が100点ではないからだ。以上を考えれば、ChatGPTに小説や映画の続編の筋書きを求めるのは、無理だと言えるだろう。

もちろん、頼めば結果は出てくる。しかし、それは原作のどこかを少し変えたようなものにすぎず、少しも面白くない作品だ。それがヒットすることなど、考えられない。新しい作品やシナリオを作りたいのなら、人間がまず大筋を考える必要がある。そして、細部にいたるまで考える必要がある。ChatGPTに任せきりにすることはできない。

小説や映画の筋書きだけではない。物理学の新しい理論でも、数学の新しい定理でもそうだ。これまであったものを少し変える程度のものはできるかもしれないが、まったく新しい創造物をChatGPTが創り出すことはありえない。ポアンカレが『科学と方法』で言ったように、創造的な活動は人間にしかできない。機械に任せることはできないのだ。

AIは感情を持たない

また、AIは悲しいとか嬉しいとか面白いという感情を持っていない。したがって、不幸にあった人を、本当にその人の立場になって慰めることができない。また、互いに嬉しいと喜んだり、面白いと感じたりすることもできない。そう見える場合があるが、それは、錯覚にすぎない。

これに関連して、TIME誌に掲載されたアメリカのある教師のつぎのコメントが、私の心に残っている。

「私はかつての生徒たちの結婚式やベビーシャワーに出席した」
「私は生徒たちを抱きしめた。生徒たちとハイタッチもした。そして、生徒たちと一緒に泣いた。コンピュータは、決してこうしたことをしない。絶対に、絶対にしない（A computer will never do that. Ever, ever）」（注11）。

第6章のまとめ

1　ChatGPTの仕組みを勉強するために解説書を読んでも、知りたいことが書いてないし、書いてある説明はよくわからない。ところが、ChatGPTを家庭教師にすれば、知りたいことに絞って、理解できるまで聞くことができる。

2　深層学習（ディープラーニング）は機械学習の一種で、ニューラルネットワークを用いるものだ。教師のあり・なしなど、さまざまな手法がある。ディープラーニングによって、AIの能力が著しく進化した。

3　ディープラーニングの手法としては、教師あり・なしなどさまざまなものがある。GPTは「自己教師あり学習モデル」のディープラーニングによって訓練される。

4　大規模言語モデル（LLM）は、「生成AI」のうち、「自然言語処理」を行なうものだ。大量のテキストデータからパターンを学習し、新たなテキストを生成したり、翻訳、要約などを行なうことができる。

5　ChatGPTを駆動しているのは、大規模言語モデルLLMの一種である「トランスフォーマー」だ。トランスフォーマーを構成する第一のものは「エンコーダ」であり、単語をベクトルで表わすことによって、文章の意味を理解する。

6　ChatGPTなどの大規模言語モデルにおいては、確率的判断に基づいて出力が生成される。この過程で不思議なのは、あらかじめ全体がどうなるかの見通しなしに、単語が逐次生成されることだ。

（注11）“The Creative Ways Teachers Are Using ChatGPT in the Classroom,” *Time*, August 8, 2023.

7　ChatGPTが事前学習した文書の量は、国会図書館の蔵書総量（数百万冊）に匹敵する。つまり、普通の人間の読書量よりはるかに多い。ただし、「だから人間より優れている」とは言えない。ChatGPTと人間の能力の比較は、簡単なことではない。

第 7 章

大失業・大転職時代

1. ChatGPTで自動化される仕事は何か？

すでに現実化しているAI失業

企業が生成ＡＩを導入した場合、生産性が向上するが、同時に失業の問題も発生する。これは、アメリカではすでに現実の問題になっている。アメリカ企業は、２０２３年１～８月の期間に、ＡＩが理由で、約４０００人の人員を削減した。これは、全体の１％弱の規模だ（注１）。

米通信大手ＴモバイルＵＳは、全体の７％の従業員を一時解雇する方針を決めた。雇用削減の対象は、経理や人事などのバックオフィス業務の人たちだ。クラウドストレージのドロップボックスは、全従業員の16％に当たる５００人の人員削減を発表した。プログラムを書く仕事などが対象。

ＩＢＭのアービンド・クリシュナＣＥＯは、「単純な繰り返し作業に当たるバックオフィス業務職の３割程度が今後５年間でなくなる」との見方を示した。ただし、雇用を減らすのではなく、従業員の配置転換で対応する。すでに、世界の従業員28万人向けに生成ＡＩの研修を実施した。

なお、ＡＩが代替するのは、単純な繰り返し作業のバックオフィス業務だけではない。第２章の2で見たように、企業での生成AIの利用は、マーケティングでも進むと考えられる。この分野でも、すでに失業問題が現実化している（第4章の4を参照）。

セールスフォースのブライアン・ミルハム社長兼最高執行責任者（COO）は、企業が生成AIを活用して人員削減するのは、ブランドに悪影響を及ぼすと述べた。そして、単純作業を減らし、付加価値が高い仕事に当てるべきだとした（注2）。たしかに、そうなってほしいものだ。しかし、そうなるためには、さまざまな条件が必要だ。

日本でも、程度の差はあるが、同様の事態が発生している（注3）。「私は大丈夫か？」と、多くの人が不安に思っている。こうしたことを背景に、ChatGPTに関する経済調査や分析が急増しつつある。中心的なテーマは、「ChatGPTがどのような仕事にどのような影響を与え、どのような職を奪うのか？」だ。

本章では、この問題を詳しく検討することとする。

（注1）『AI失業』米国で現実に　1〜8月4000人、テックや通信」日本経済新聞、2023年9月24日。
（注2）「Salesforce社長『AIで人員削減、ブランドに悪影響』」日本経済新聞、2023年9月22日。
（注3）「フリーライター、買いたたき懸念」朝日新聞、2023年8月21日。

影響を受けるのは、テレマーケティング担当者と大学教師

ChatGPTが人間の仕事に与える影響を分析した論文として、まず、プリンストン大学のフェルトンらによる研究がある（注4）。彼らは、ChatGPTなどの大規模言語モデル（LLM）の影響を受ける可能性が最も高い職業を特定しようとした。使用したのは、「AI Occupational Exposure」と呼ばれる指標だ。これを用いて、LLMに最も影響を受ける職業は何かを見いだそうとした。

分析の結果、影響を受ける主な職種として、テレマーケティング担当者や、英語・外国語・歴史などの大学教師があることがわかった。ほかにも教育関連の職種が多く含まれており、教育分野の職種は、他の職種よりLLMの進歩によって大きな影響を受ける可能性が高いことを示している。

一方、レンガ職人やダンサー、織物工など、肉体労働の比重が大きい職業に就いている人々は、ChatGPTが職場に登場する可能性を心配する必要はないだろうという。

影響度のリストでトップの職種は、「テレマーケター」だ（テレマーケターとは、内勤で営業活動を行なう職種のこと。電話やメール、テレビ会議を用いて営業活動を行なう）。人間のテレマーケターは、LLMを使用して仕事を補完できる。たとえば、顧客の反応はリアルタイムでLLMに伝えられ、関連する顧客固有の情報が迅速にテレマーケターに送られる。また、人間のテレマーケターが、LLMを用いるボットで代替される。第4章の4で、キャッチコピー作成者の失業に

ついて述べた。これは特殊なケースでなく、アメリカに広がりつつある現象なのだ。

産業別では、「証券、およびその他の金融投資および関連活動」が、最も強く影響を受ける産業だ。このほか、法的サービス、ブローカレッジ、および保険関連活動が、強く影響を受ける産業の中にある。

労働力の約8割が仕事の1割に影響を受ける

第二の研究は、OpenAIとペンシルベニア大学の研究者らが2023年3月17日に公表した論文だ(注5)。この論文によると、アメリカの労働力の約80%がLLMの導入によってタスクの少なくとも10%に影響を受ける可能性があり、約19%の労働者がタスクの少なくとも50%に影響を受ける可能性がある。

これは、非常に難解な論文だ。「エクスポージャー」は「タスクを完了するために要する時間が、最低でも50%削減される駆動力」として定義されている。science と critical thinking のスキルは、

(注4) Edward W. Felten et.al., "How will Language Modelers like ChatGPT Affect Occupations and Industries?", 18 March 2023.
(注5) Tyna Eloundou et.al., "GPTs are GPTs: An Early Look at the Labor Market Impact Potential of Large Language Models,", 17 March 2023.

エクスポージャーとの強い負の相関を示している。つまり、これらのスキルを必要とする職業は、LLMによるインパクトを受けにくい。

逆に、programming や writing のスキルは、エクスポージャーと強い正の相関を示している。つまり、これらのスキルに関係する職業は、LLMによる影響を受ける可能性がある（詳細な結果は、論文中の表5にある）。

参入障壁が高く、賃金が高い職業が影響を受ける

この論文は、LLMによる職業への影響は、仕事の準備の難易度に従って緩やかに増加することを示している。つまり、労働者が高い参入障壁に直面する仕事は、LLMによる影響が大きい。参入障壁が低ければ、影響は小さい。

参入障壁が1（低い）から5（高い）までレベル分けすると、漁師やバリスタ（カフェやバーで働く人）や皿洗いはレベル1、ソフトウェア・エンジニアや振付師や通訳者・翻訳者はレベル4、鍼灸師や麻酔科医やファンドマネージャーはレベル5だ。参入障壁が1から4までは、レベルが上がるにつれてLLMの影響が大きくなる。それに対して、最高レベルの5では、影響が4よりも下がる傾向がある。

就業に必要な一般的な教育レベルとの関係を評価すると、学士号、修士号、専門職学位など、就業者の平均的な教育水準が高いほど影響を受ける。高給の職業は、一般に多くのタスクが影響

を受ける。これは、機械学習全体の影響における同様の評価とは対照的な結果だ。高い賃金の職種は、ChatGPTやその他の製品などのＬＬＭの急速な進歩にさらされる可能性が高い。

データを用いた実証分析や、対応策の検討も必要

以上二つの論文で共通するのは、高度な知的作業がＬＬＭによって大きな影響を受けるという結論だ。

これらの論文は失業については言及していないのだが、影響を受ける仕事においてはＬＬＭを活用しないと生き延びられないことになるだろう。活用しても、他の人がよりうまく利用すれば、失業する可能性がある。また、うまく活用しても、ＬＬＭに仕事を奪われてしまうかもしれない。

これは急に発生した問題であり、現実の事態がどうなっているかもまだはっきりと把握されていない。また、こうした事態に対してどのような対処が必要なのかも、重要な課題だが、明確な対処法があるわけではない。あまりにも重大な問題があまりにも急激に発生したために、世界はどう対応していいか、戸惑っているのが現状だ。

2．日本で生成ＡＩを本格導入すれば、失業率が25％になる可能性

労働者の３分の２が生成ＡＩによる自動化に直面し、業務の25～50％がＡＩに代替される

ChatGPT などの生成ＡＩによって、人間の仕事をどの程度、自動化できるのか？　そして、人々の職はどうなるのか？　本節では、この問題に関してアメリカの投資銀行大手のゴールドマン・サックスが２０２３年3月26日に公表したリサーチレポートを紹介する（Goldman Sachs, The Potentially Large Effects of Artificial Intelligence on Economic Growth〈Briggs/Kodnani〉, 26 March 2023）。

それによると、アメリカでは現存の職業の約3分の2が、ＡＩによる自動化に直面する。影響を受ける職業では、業務の25～50％がＡＩに代替される可能性がある。アメリカ経済全体では、25％の仕事がＡＩに代替される。この推計結果は重要だ。そこで、やや長い表になるが、アメリカの場合の推計結果を、図表７－１に示す。

事務・管理職と法務では、業務の約45％が自動化できる

図表７－１のトップにある事務・管理職は、最も影響を受けやすい職業で、業務の46％が自動

図表7-1　生成AIによる自動化比率（アメリカの場合）

業務	自動化される比率（%）
事務・管理職	46
法務	44
建築、エンジニアリング	37
生物、物理、社会科学	36
金融業務	35
地域・社会サービス	33
経営	32
販売	31
コンピュータ、数学	29
農林漁業	28
防御サービス	28
ヘルスケア	28
教育、図書館	27
ヘルスケアサポート	26
アート、デザイン	26
個人ケア	19
飲食サービス	12
運輸	11
生産	9
採掘	6
維持補修	4
清掃	1
産業平均	25

資料：Goldman Sachs, The Potentially Large Effects of Artificial Intelligence on Economic Growth (Briggs/Kodnani), 26 March 2023をもとに作成

化される（英語では、Office and Administrative Support。これは、ホワイトカラーの仕事を指すと考えてよい）。他方、肉体労働を要する職業は影響を受けにくい。労働者の約63％が、仕事量の半分以下しか自動化されない。

図表7－1の数字は、納得できるものだ。オフィス業務支援や法務に対して生成AIが大きな影響を与えるだろうとは、しばしば指摘されることだ。本書でも、これまでの章で、その可能性について述べてきた。また、運輸、生産、採掘、維持補修、清掃で自動化率が低いのも納得できる。このような仕事に対する生成AIの影響が少ないことも、よく指摘される。むしろ、飲食サービス、運輸、生産への影響が10％程度にもなるというのが、驚くべきことかもしれない（注6）。

このレポートは、ヨーロッパについても推計を行なっている。そこでも、事務・管理職が最も影響を受けやすく、業務の45％が自動化される可能性がある。なお、この推計は、他の類似推計に比べてかなり保守的だ（影響を比較的低く見積もっている）。

ホワイトカラーの半数が失業する？

図表7－1で見たように、ホワイトカラーの仕事の約半分が自動化できる。これによってどれだけのホワイトカラーが失業するか？

さまざまな可能性が考えられる。一つの可能性は解雇だ。簡単化のため、100人の労働者を雇用する企業があり、労働者一人あたり1単位の仕事をしているとしよう。企業全体では100単位の仕事をしている。このうち50単位の仕事は自動化が可能だとする。そこで、労働者を100人から50人に削減し、50人の労働者が一人あたり1単位の仕事を行なって50単位の仕事をする。そして、AIが50単位の仕事をすることとする。そうすれば、全体の仕事量はこれまでと同じ量を確保でき、かつ賃金の支払いが半分になる。すると、企業が必要な労働力は、100人から50人に減ってしまう。つまり50人が失業する。

経済全体を見た場合、自動化可能な労働は、図表7－1に示すように25%なので、25%の人が失業することになる。このような事態が実際に生じれば、社会は大混乱に陥るだろう。

実際には、失業する労働者は25%でなく、7%程度に抑えられる

しかし、そうはならないだろうと、この報告書は言う。まず、ほとんどの職種や産業は自動化に部分的にしかさらされていないため、AIによって補完される（AIに助けてもらって生産性が

（注6）ただし、意外な結果もある。最も意外なのは教育だ。これは最も強く影響を受ける仕事の一つと考えていたので、このレポートでの推計値は意外に低いと感じる。また、コンピュータ、数学も、考えていたより低い。生物、物理、社会科学よりずっと低いのは不思議だ。金融業務は、法務と同じくらいに高いと思っていた。ヘルスケアも、アート、デザインも、考えていたより低い。

向上する）可能性が高く、代替される（仕事をＡＩに奪われてしまう）ことは少ない。

この分析では、重要性や複雑さを持つタスクの50％が自動化にさらされている職種は、ＡＩによって代替される可能性が高いと仮定している。それに対して、10〜49％の露出を持つ職種は補完される可能性が高く、０〜９％のエクスポージャーである職種は影響を受けにくいとしている。以上の仮定に基づくと、現在のアメリカの雇用の７％がＡＩによって代替され、63％が補完され、30％が影響を受けないという結論になる。

ほとんどの労働者はＡＩの自動化に部分的にさらされている職種に従事しているので、ＡＩの導入後、解放された能力の一部を他の生産的活動に利用すると考えられる。自動化が可能であっても、雇用は減らさず、これまでの仕事に費やす時間を半分にする。そして、生み出された労働時間で、新しい、より創造的な仕事を行なうのだ。こうしたことが可能であるために、失業する労働者は前述のように７％程度に抑えることができるのだという。

さらに、ＡＩによる自動化によって仕事を失った多くの労働者が、最終的には再就職し、新しい職種での雇用によって総生産を増加させると予想している。新しい職種は、ＡＩの導入に直接関連しているか、または、非解雇労働者からの生産性向上によって生じる集約的な労働需要の増加に対応して登場するものだ。こうして、失業した労働者は、新しい仕事を見つけることができるだろう。だから失業率は高まらず、経済の生産性が高まることになる。

これらの仮定のもとで、生成ＡＩの広範な導入は、全体の労働生産性の成長を向上させる可能性がある。これは、電動モーターやPC（パソコン）のような先行する変革的技術の出現で生じたのと同じ規模のものだ。本章の冒頭で紹介したセールスフォースのミルハム社長が期待しているのは、このような姿だ。

最も必要な経済政策は、労働力の流動性確保

たしかに、前項で紹介したような結果になってほしい。しかし、必ずそうなるとは限らない。そのためには条件がある。最も重要なのは、経営者が労働者を解雇せず、新しい創造的な仕事を与えることだ。

また、失業する労働者が新しい仕事を見つけられることだ。これを実現するには、労働市場が柔軟に機能している必要がある。しかし、日本でそれができるだろうか？

日本では、もともと企業間の労働力の移動が不十分だ。さらに、政策がそれを後押しすることが多い。コロナ下における雇用調整助成金はその典型例だ。そして、高額の退職一時金制度が、企業間の流動性をさらに低くしている。このような問題を抱える日本が、生成ＡＩによって引き起こされる膨大な労働力移動に対応できるだろうか？　もしできなければ、失業率が25％という事態になりかねない。

あるいは、「それを避けるために生成ＡＩを取り入れない」といった事態になるのではないだろうか？　生成ＡＩに関して日本で最も必要とされるのは、労働力の企業間流動化の促進だ。

なお、ゴールドマン・サックスのレポートは、ＡＩによる自動化の影響度を国別に推計しており、日本は世界で3番目に高い影響を受ける国だとしている。日本についてのＡＩによる自動化率の数字は、経済全体の平均で見てアメリカの25％より高い。その意味で、このレポートは日本に対する警告だと捉えられる。日本政府は、こうした事態をはっきり見据える必要がある。

3. 知識労働者が最大の被害者

従業員の時間の60〜70％を占める作業活動を自動化する

マッキンゼー・アンド・カンパニーが２０２３年6月14日に公表したレポート「生成ＡＩがもたらす潜在的な経済効果：生産性の次なるフロンティア」のうち、産業別の付加価値の増加可能性については、第2章の2で紹介した。以下に紹介するのは、同レポートのうち、仕事の自動化の可能性に関する分析だ。

このレポートは、世界の労働力の80％に相当する47カ国の８５０の職業を抽出し、それぞれの職業を構成する２１００以上の作業について、生成ＡＩがどれだけ代替／自動化できるかを調べ、それを各職業での時間構成比や人数構成比に合わせて集計している。

マッキンゼーは、数年前に、世界中の労働時間の約半分が自動化可能と推計していた。このレポートで、その数値を60～70%に引き上げた。技術的自動化の可能性が加速しているのは、生成ＡＩの能力の向上によるものだ。

以前の調査では、２０２７年が「自然言語理解（ＮＬＵ）」を伴うタスクにおいて、ＡＩテクノロジーが典型的な人間のパフォーマンスに匹敵するようになる最初の年になるだろうと予測されていた。いまでは、それが２０２３年に起こるとみている。従業員は、別の仕事を割り振られるか、あるいは仕事がなくなることもありうる。レポートは「労働者には新しいスキルを学ぶための支援が必要になるだろう」と指摘し、「一部の人は転職せざるをえないだろう」とも予想している。

高学歴者の仕事を自動化

これまで、自動化技術の展開は、スキルレベルが最も低い労働者に最も大きな影響を与える傾向があると指摘されていた。ところが、生成ＡＩはこれと逆のパターンになる。つまり、教育水準の高い労働者の活動に、最も影響を与える可能性が高い。たとえば、修士・博士号の保有者の場合、仕事のうち自動化できる比率は、生成ＡＩがなければ28%にとどまるが、生成ＡＩがあると57%に上昇する。それに対して、高校卒の場合には、この比率は、それぞれ51%と64%だ。つまり、修士・博士号の保有者は、生成ＡＩによって大きな影響を受けるのだ。

このため、ナレッジワーカー（知識労働者）の仕事には深刻な混乱が生じるだろう。「長年かけた学位取得の努力が無に帰す恐れがある」とレポートは指摘している。２０２３年６月15日のBloombergの記事は、「ＡＩブーム最大の被害者は知識労働者」というタイトルで、このレポートを紹介している。

経済拡大規模は、イギリスのＧＤＰより大きい

生成ＡＩの導入によって生産性が上昇し、世界経済に数兆ドルの価値をもたらす可能性がある。マッキンゼーのレポートによれば、生成ＡＩは、年間６・４兆～４・６３兆ドルに相当する価値を世界経済に追加する可能性がある。これは、２０２１年のイギリスのＧＤＰ（３・１兆ドル）より大きい。このように、世界は大きく変わる。

では、日本はどうか？　右に見たように、57％以上の業務が自動化可能とされる。しかし、それを実現するには、業務がすでに標準化できており、デジタル化されていなければならない。ところが、日本の営業部門では、いまだに情報が属人的に管理され、また、デジタル化が進んでいない。こうした状況では、生成ＡＩを導入できない。このままでは、日本は世界の大勢に大きく遅れる危険がある。

高度な知的労働の半分が自動化可能

本章では、生成AIが仕事をどれだけ自動化できるかという問題に関しての、調査や分析を紹介してきた。

第一は、プリンストン大学のフェルトンらの分析。第二は、ChatGPTの開発者であるOpenAIと、ペンシルベニア大学の研究者によるもの（以下、O-Pと略記する）。第三は、アメリカの投資銀行であるゴールドマン・サックスによるもの（以下、G-S）。そして第四は、コンサルティング会社であるマッキンゼーによるもの（以下、MK）だ。以上をまとめると、大規模言語モデルが人々の仕事に与える影響の大きさについて、これらの分析はつぎのような結論を出している（なお、これらは、主としてアメリカの場合についてのもの）。

まず、フェルトンらは、知識労働者が影響を受け、肉体労働者は受けないとした。O-Pは、従業員の約80%は、業務の少なくとも10%に影響を受ける可能性があるとした。そして、約19%の労働者は、業務の少なくとも50%に影響を受ける可能性があるとした。結局、経済全体で見れば、仕事の約17・5%（＝80×0.1＋19×0.5）が影響を受ける。影響はあらゆる賃金水準の職種に及ぶが、高所得の職種ほど大きな影響を受ける可能性がある。つまり、高度な知的労働は、仕事の約半分が自動化可能という事態に直面するわけだ。

G-Sは、全体の職業の約3分の2は、AIによる自動化に直面するとした。影響を受ける職では、業務の25～50％がAIに取って代わられる可能性がある。O-Pの場合と同じ計算をすれば、経済全体では、17～33％ということになる。これは、右に見たO-Pの推計値より高い。なお、事務・管理支援職は46％、法務職は44％が自動化可能だ。これらの仕事を「高度な知的労働」と解釈すれば、「高度な知的労働の約半分が自動化可能」というO-Pの結論と同じものだ。

MKは、経済全体の平均では約25％が影響を受けるとしている。これは、O-Pよりは高く、G-Sの最大値よりは低い。「営業／カスタマーサービス」部門では、57％の業務が自動化可能だ。事務・管理支援職では46％、法務職では44％になる。この結果は、「高度な知的労働の仕事の約半分が自動化可能」というO-Pの結論と同程度のものだ。

以上を総括してごく概略的に言えば、全体の少なくとも2割程度の労働力が、生成AIによって代替されることになる。もし実際に代替されて職を失えば、失業率が20％程度になる。これは、途方もなく大きな影響だ。そして、高度な知的労働では、失業率が50％になる。これは、破壊的としかいいようがない。日本では、大規模言語モデルの影響がこれほど大きいとは認識されていない。

「ルーチンワークで失業、高技能職に新しい雇用」との分析も

このテーマに関しては、すでにかなりの論文が発表されている。グーグルスカラーで〝artificial intelligence impact on wages and unemployment〟を検索すると、多数の論文がヒットする。

そのなかには、以上で見たのとは異なる傾向を指摘するものもある。そうしたものの一つとして、Ali Zarifhonarvar, "Occupational Impact of Artificial Intelligence," February 2023 Last revised: 12 Apr 2023 を紹介しよう。

この論文は、ChatGPT に最も影響を受けやすい職業の包括的なリストを提示している。そして、生成ＡＩが労働市場に及ぼす正負の影響は、かなり大きいと結論している。

とくに、ルーチンワークを行なう労働者の置き換えを引き起こす。これは、失業、賃金の低下、所得格差の拡大につながる可能性がある。逆に、ＡＩは高技能職に新しい雇用の可能性を生み出し、生産性と経済成長を促進するとしている。

ＡＩの労働市場への影響は、失職する労働者と置き換えられる仕事の間のスキルのミスマッチに直接関連している。このミスマッチは、他の職種へ移行するための新しいスキルを学べない労働者にとって、長期間の失業につながる可能性がある。

32・8%の職種が全面的な影響を受ける可能性があり、36・5%が部分的な影響を受ける可能性があり、30・7%が影響を受けない。全面的な影響を受ける32・8%の職種にとっては、影響がとくに顕著で破壊的な可能性がある。一方、影響を受けない30・7%の職種にとっては、労働者は過去と同様に仕事を続けることができるだろう。部分的な影響を受ける可能性がある36・5%の職種は、仕事のプロセスと職責にいくつかの変更があるかもしれない。最終的に、この研究は、政府、企業、労働者が労働市場におけるＡＩの影響に備え、ＡＩの利益を広く共有し、労働者が必要に応じて新しい役割に移行できるように、積極的な措置を講じる必要があると強調している。

4. ChatGPTは、労働者の敵か、味方か?

生成AIは低スキル労働者に有利か?

生成AIは登場したばかりの技術であり、実際に広く使われているわけではない。したがって、雇用をはじめとする経済活動にどのような影響があるかについては、さまざまな可能性があり、見通すことが難しい。労働者に有利に働くだろうという考えもある。その一つが、オックスフォード大学のカール・フレイ教授の考えだ(注7)。

生成AIは、人間の指示や質問に対応して文章を生成する。したがって、文書に関わるさまざまな仕事の効率を飛躍的に高める。とりわけ、翻訳、要約、校正などにおいて、驚くべき力を発揮する。また、定型的な文章を事情の変更に応じて書き直すといったことを、自動的に行なうことができる。

このため、こうした仕事に携わっていた人々の生産性は、向上する。それに伴って賃金が上昇するだろうと考えるのは、自然なことだ。しかし、この考えには、重要な仮定がある。それは、作成された文書に対する需要が、生産性の向上に合わせて増えることだ。

しかし、実際にこうなる保証はない。実際、本章の3で紹介したAli Zarifhonarvarの分析によれば、生成AIは、高度知識労働者には新しい仕事を創り出すが、単純労働にはマイナスの影響を与える。とくに問題なのは、作成された文書に対する需要は増えない場合があることだ。その場合には、従業員にとっての条件が悪化することがある。これについては本章の2で説明したが、もう少し詳しく言えば、つぎのとおりだ。

需要総量が増えるかどうかが問題

たとえば、2人の従業員がいて、各人が1時間働き、合わせて2nの量の文章を作っていたとしよう。そして、各人が2anの賃金を得ていたとする。ここで、aは文章量に対する賃金の比率。生成AIの導入によって能率が2倍になり、1人が1時間働けば2nの文章が作れるようになったとする。

もし文章に対する需要の総量が4nに増加するなら、各人とも、1時間働いて2nずつの文章を作り、1時間当たりの収入（賃金）は2anに増加する（aの値は不変と仮定）（注8）。

（注7）カール・フレイ「低スキル労働者こそ恩恵　生成AIと経済社会」日本経済新聞、2023年7月20日。

しかし、もし文章の需要総量が2nのままであるとすれば、企業は1人の従業員を解雇し、残りの1人の従業員だけで、2nの量の文章を作ることができる。この場合、解雇されなかった従業員は賃金が2anに増えるが、解雇された従業員の収入は0になる。

2人の生産性が厳密には同一ではなく、少しの差があるとすれば、生産性の低い従業員が解雇されるだろう。つまり、低スキル従業員に不利に働くわけだ。こうしたことが起こる可能性は、かなり高いと考えられる。つまり、生成AIをうまく使える人々が生産性を上げ、これまでより高い賃金を得るようになる。そして、うまく使えない人々を駆逐して仕事を独占することになるわけだ。もちろん、これへの対処は可能だ。2人の従業員を雇いつつ、2人とも30分働いてもらえばよい。その場合には、各人の賃金（1時間当たり収入）は変わらない（ただし、収入は半分になる）。

生産性が上昇すればそれに応じて需要が増え、したがって生産額が増えるということを前提にすれば、恩恵はすべての従業員に及ぶ。しかし、需要が現実にどうなるかは、わからない（フレイ氏も、需要が増大するかどうかが重要な条件だと指摘している）。現在の日本の状況においては、需要が増えないのは、十分にありうることだ。

事務的な仕事は人手が過剰で、人手不足の建設や介護には生成AIの影響は少ない

生産性の向上に対して、需要が増えるか増えないかを判断するには、有効求人倍率が参考にな

る。最近の数字を見ると、一般事務従事者の有効求人倍率は、０・３４だ（注9）。つまり、事務的な仕事については、人が余っていることになる。生成ＡＩは、こうした仕事についての生産性を上昇させるのだ。だから、右に述べたメカニズムによれば、それに関わる従業員にとって、不利な状況をもたらす可能性が高い。

いまの日本で労働力不足が顕著なのは、つぎの分野だ。

- 建設・採掘従事者（有効求人倍率　５・３２）
- 介護サービス職業従事者（同　３・９４）

こうした分野においても、ＡＩが重要な役割を果たすことはある。たとえば、介護における介護ロボットは、省力化を進めるために重要な役割を果たす。しかしこれは、生成ＡＩの役割である文書作成とは関係がない。

（注8）このようになるのは、生成ＡＩが「労働増大的技術進歩（labor-augmenting technological progress）」と考えられるからだが、詳細は省略。
（注9）厚生労働省「一般職業紹介状況」２０２３年9月。

従業員の職種間・産業間移動が必要

以上では、従業員が企業間や職種間を移動しないことを前提にして考えた。実際には移動することが可能だ。これによって、つぎのような変化が生じる。労働力不足があまり深刻でない分野（たとえば事務職）において、生成ＡＩによって事務能率が向上し、その結果、従業員数が過剰になり、労働力不足が深刻である分野に移動する。これによって、経済全体としての労働力不足が緩和されるはずだ。

ここで重要なのは、労働力の職種間・産業間移動だ。職種間、産業間の労働力の移動は、日本でもこれまで行なわれてきた。たとえば、農業から製造業への転換、あるいは、炭鉱の閉鎖などだ。ただしそれは、かなり長い時間をかけて行なわれた。ところが、生成ＡＩによる変化は、急激に起こる可能性がある。したがって、社会的に大きな混乱をもたらす可能性がある。

さらに、次項で述べるように、１９５０年代、１９６０年代に日本で行なわれた産業間の雇用移動は、全体としての経済規模が拡大していくなかで行なわれた。したがって、調整に伴うコストが比較的少なかった。しかしいま、日本は低成長問題に直面している。そうした中で調整を行なうのは、きわめて難しい。

いま必要なのは、このような移動を容易にする経済・社会の仕組みを作ることだ。ところが、実際の政策は、それまでの仕事を続けられるように支援するというものが多い。したがって、職種間の移動を妨げる結果になっている。コロナ期でとられた雇用調整助成金は、その典型的な例だ。こうした政策から脱却する必要がある。

なお、新しい職種に就くためには、新しいスキルが必要であり、そのためにリスキリングが重要だ。こうしたことはよく言われている。しかし、必要とされるのは、生成AIという新しい技術を使うためのもの（たとえば、プロンプトの作り方）に限らない。これまでとは違う職種に就くとすれば、それに応じたリスキリングが必要になるだろう。

私が目撃した1960年代の大規模自動化

1960年代後半の日本で、大規模な自動化が進行した。私はちょうど社会に出て働き始めた頃で、この変化を目の当たりにした。役所のエレベーターは、それまですべて人が操作していたのだが、それが自動エレベーターに変わった。各局にはタイピスト室があり、多数の和文タイプライターが並んでいた。タイピストたちがタイプをしていた。当時の会議資料は、すべてここでタイプしていたのだ。ところが複写機が導入されて、タイプが不要になった（ただしゼロックスが登場する前のことであり、使われていたのは湿式の複写機）。

こうして、多くの人々（そのほとんどは女性）が、それまでの仕事から離れることになった。しかし、彼女たちは失業することはなく、通常の事務職に変わったのである。同じことが、日本の会社のどこでも起こっただろう。こうしたことが可能だったのは、日本経済が成長しており、それに伴って新しい仕事が増加したからだ。

その頃の日本は、炭鉱の閉鎖という問題にも直面していた。こちらは失業と再就職という過程を経る必要があったので、容易なことではなかったが、大きな社会的混乱なく転換ができた。これも日本の経済の高度成長の賜物だ。つまり、経済全体が成長していたため、労働力の大規模な再配置を実現することができ、それがさらに経済成長を高めるという好循環が実現したのだ。

5. 生成ＡＩに応じて仕事のやり方を変えた人が生き残る

第三次産業革命では肉体労働でなく、知的労働が影響を受ける

生成ＡＩがもたらす変化は、第三次産業革命といってよい事態だ。第一次産業革命は18世紀に起こった蒸気機関の登場であり、第二次産業革命は19世紀における電気の利用だ。それに続いて第三次産業革命とか第四次産業革命が起きたと、しばしば言われる。しかし、言われていることの内容をみると、第一次、第二次と比較できるようなものではない。センセーショナルな言葉を使って人目を引こうとしているにすぎない場合が多い。しかし、いま起こりつつあることは、まさしく産業革命だ。

それより大きい変化だという見方もある。第8章の1で紹介するように、これは「シンギュラリティ」(技術的特異点)だという見方もある。そういってもよいほどの大きな変化だ。

第一次産業革命も第二次産業革命も、人間の働き方に大きな影響を与えた。それまで人間が行なってきたことを機械が行なうという変化が、大規模に進展した。生成AIがもたらす変化は、それとはかなり違う。生成AIは、文章を書く作業を効率化するので、知的労働に影響を与える。影響を受けるのが単純労働ではなく、知的労働であるという点が、これまでとの大きな違いだ。生成AIの導入に伴って、さまざまな変化が起きるだろうが、単純労働、とくに肉体労働は、あまり大きな影響を受けないだろう(ただし、広くAIによる影響を見た場合には、自動運転の実現によってドライバーが不要になるなどの変化が起きるだろう。これは、画像認識のAIによってもたらされるものだ)。

仕事が生成AIに代替されるか否かは、プロンプトがどれだけ重要かによる

生成AIは、人間の指示に従って文章を生成する。したがって、それに関連する人々が、直接的な影響を受ける。具体的には著者、翻訳者、ライター、校正・校閲者、編集者などだ。

これらのうちどの仕事がどのような影響を受けるかは、プロンプトの重要性にかかっている。つまり、単純なプロンプトによって満足すべき結果を誰もが得られるのであれば、そうした仕事は生成AIに取って代わられるだろう。

たとえば、事務的な文書の翻訳であれば、「つぎの文章を日本語に訳してください」という指示だけで済む。それによってほぼ完全な翻訳が得られる。指示によって結果が変わるということは、あまりない（もちろん、文章のニュアンスの問題があるから、文学書などの翻訳は、そう簡単でないが）。文章の要約も同じだ。「つぎの文章を何字に要約してください」という指示で正確な結果が得られる。こうした作業は、人間からＡＩへの転換が行なわれるだろう。

これに対して、論文や著作を書く仕事は、そう簡単ではない。たとえば、「日本の賃金について分析する１０００字程度の文章を書いてください」と指示しても、満足すべき結果は得られない。このような単純なプロンプトでは、だめなのだ。

まずテーマの選択がある。日本の賃金について分析するといっても、それをどのような観点から、どのような問題意識をもって分析するかという問題がある。また、データを集め、分析をし、どのような結論を導き出すかという作業がある。これらの判断や作業は、生成ＡＩはあまり得意ではない。だから、そうした作業とプロンプトの書き方によって、結果が大きく違う。こうした作業が生成ＡＩに簡単に置き換えられるとは考えられない。

編集や校正・校閲の仕事は、以上二つの中間にある。場合によっては生成ＡＩに代替されるが、全面的に置き換えられることはないだろう。なお、「文章を書く作業」というと限定的なもののように思われるが、人間が考えを伝えるには文章によるのだから、それに関わる作業の効率が上昇すれば、あらゆる仕事に甚大な影響を与えざるをえないのである。

ここで注意すべきことは、著者の仕事が残ると言っても、それはすべての著者が残ることを必ずしも意味しないことだ。

生成ＡＩは文章を書くことに関連したさまざまな作業を効率化する。たとえば、外国語の文献を要約・翻訳してくれるので、資料の収集能力が著しく高まる。また、誤字脱字の修正や文法上の誤りなどを訂正してくれる。こうして、仕事の進め方がこれまでとは大きく変わる。これらをうまく使って文章を書く効率を上昇させた人は、それができなかった人を駆逐することになるだろう。

専門的職業の仕事の内容が変わる

弁護士、会計士、税理士、建築士 ,行政書士、司法書士などの「士業」についてはどうだろうか。これらの仕事においても、生成ＡＩの活用によって仕事の効率を高めることができる。第4章の1で見たように、弁護士が過去の判例の調査をＡＩに任せれば、仕事の効率は著しく向上する。会計士や税理士の場合も、データの処理などをＡＩに任せることができる。

こうしたことによって生まれた時間を用いて、他のサービスを充実させていくことが可能だ。たとえば弁護士が、依頼者の心理的問題に適切に対応することに注力することは十分に考えられる。会計士や税理士が、企業のデータをもとに経営アドバイスをするといったようなシフトも可能だ。

こうした仕事においては、生成ＡＩによるデータ処理の効率化は、たぶん誰がやっても同じような結果になるだろう。しかし、心理的問題への対応や経営アドバイスなどは、人によって大きな差があるだろう。すると、そうしたサービスをうまく提供できる人に仕事が集まり、それをできない人が駆逐されるという事態が起こりうる。

教師の仕事の内容が変わる

学校の教師についても、同じようなことが起こるだろう。知識を教えることはこれまでは教師の重要な役割であったが、これが生成ＡＩによって代替される可能性はかなり大きい。実際、生徒の理解度や進捗度に応じて学習を行なえるのは、生成ＡＩでなければできないことだ、現在では、出力結果が完全に正しいとは限らないので、生成ＡＩの利用は限られたものにならざるをえない。しかし、今後、技術進歩によってこの点が改善されれば、教師の役割には大きな変化が生じるだろう。

ただし、教師の役割は、知識を教えることだけではない。生徒や学生の人格形成に大きな役割を果たしている。この役割は、生成ＡＩによっては置き換えられない。したがって、これからの教師の役割は、こうした面が重要なものとなっていくだろう。ここでも、仕事の内容のシフトが生じることになるわけだ。

このようなシフトは、士業や教師に限ったことだけではなく、さまざまな職業において生じるだろうと考えられる。企業の仕事についても、もちろんこうしたことが起こる。だから、企業がこれまでの仕事のやり方を続けるなら、生産性向上競争に敗れることは、十分に考えられる。

ところが、日本企業に対するいくつかのアンケート調査を見ると、このようなことが行なわれているのかどうか、大いに疑問だ。第2章で見たように、生成ＡＩを業務に導入するとしている企業の比率は全体では1割未満でしかない。また、生成ＡＩを導入するとしている企業においても、文書作成の省力化などを考えているだけだ。企業の仕事全体の仕組みを生成ＡＩに合わせて変革しなければならないとする問題意識を持っている企業は、きわめて少ない。

日本が新しい技術に対応していくためには、仕事のやり方を変える必要があるという意識を、明確に持つことが必要だ。そして、政府はさまざまな政策を行なう必要がある。個人も対応のための努力が必要だ。

6．生成ＡＩは、リスキリングの内容の見直しを迫る

日本でも、大量失業がいずれ問題になる

ChatGPTなどの生成ＡＩがもたらす深刻な大問題は、大量失業だ。われわれがこれまで経験

したことのないような規模で、人間の職がＡＩに奪われる可能性がある。しかも、知的能力の高い人が失業するなど、これまでになかったタイプの失業が生じる可能性がある。

アメリカでは、生成ＡＩによる失業がすでに顕在化していることから、生成ＡＩは、「職を奪う悪魔」と捉えられる場合が多い。ところが、日本では、生成ＡＩによる失業に対する不安は、それほど強くない。これは、一つには、正規社員は会社に守られているからだろう。

しかし、失業の問題は、正規社員も含めて、いずれ日本でも現実のものになってくるだろう。なぜかと言えば、正規社員であっても、いつまでも正規社員でいられるわけではないからだ。役職にあった人も、50歳代の後半で役職定年となり、給与が大幅に減少する。

また、企業は人員削減を考える場合に、50代後半の人たちを主たるターゲットとする。この傾向はこれまでもあったが、生成ＡＩによって、それが促進される可能性がある。生成ＡＩによる自動化は仕事のあり方を大きく変えるため、これまでの仕事上の経験が、不要であるばかりか、邪魔になることもあるからだ。これは深刻な問題だ。

就職氷河期世代が退職期を迎える

日本の場合には、さらに大きな問題がある。それは、「団塊ジュニア世代」があと数年で50歳代後半になることだ。「団塊ジュニア世代」とは、１９７３年前後に生まれた世代だ。日本の人口ピラミッドは、この前後で大きく膨らんでいる。したがって、労働力がかなり多くなっている。

この世代は、2023年頃から、前述した雇用上の地位変更を迎え始める。これらの人々は、生成AIの問題がなかったとしても、就業継続のためにリスキリングが必要という問題を抱えている。そうした人々に、いま、生成AIという新たな大問題が急に降りかかってきたわけだ。

こうしたことを考えると、生成AIによる自動化に日本が対処するのは、大変難しい課題であることがわかる。

大転職時代？

もちろん、事態は右に述べたほど簡単ではない。これまでの仕事がAIに取って代わられるといっても、その仕事を行なっていた労働者が、ただちに解雇されるとは限らないからだ。同じ企業で別の仕事をすることができるかもしれない。あるいは、企業が新しい仕事を創り出して、それに従事することができるかもしれない。あるいは、いまの企業を離れて、別の企業で新しい仕事を見つけることができるかもしれない。

一般に、新しい技術は、経済成長をもたらし、雇用を拡大する効果を持つ。生成AIの場合にも、そうなる可能性がある。そうなれば、労働者は失業することにはならない。場合によっては、以前より高い賃金を得ることが可能かもしれない。

ただし、それを実現するには、条件が必要だ。第一の条件は、新しい仕事があることだ。あるいは、新しく創り出されることだ。日本経済全体を見れば、介護分野など、労働力が不足している分野がある。そうした仕事に移れば、新しい職を得られるだろう。

ただし、知的労働者の多くは、できることなら、これまでやっていた仕事とあまり変わらない仕事を続けたいと望むだろう。しかも、これまでと同じ企業で仕事を続けたいと望むだろう。そうした希望が満たされるためには、企業が新しい仕事を創り出さなければならない。企業が成長しているのであれば、そうしたことができるだろう。しかし、必ずしもすべての企業がそうしたことをできるわけではない。十分な量の新しい仕事を創り出すことができなければ、失業率が高まる。

リスキリングの目的は、基礎的な能力の向上

同一企業で雇用され続けるにせよ、転職するにせよ、仕事の内容は変わるのだから、リスキリングが必要になる。これが第二の条件だ。こうした心配があるから、リスキリング講座を受ける人が増えている。

しかし、問題は講義の内容だ。日本のオンライン講座で受講者が集まるのは、プロンプトエンジニアリングの講座であるようだ。また、eラーニング王手のユーデミーでは、生成ＡＩを用いるプレゼンテーション資料の作成法や、アプリ開発での活用法の講座が人気だという（注10）。こうしたことを勉強するのは、よいことだ。どんどん勉強すべきだろう。

しかし、これらは、生成ＡＩに直接関連した事柄だ。それらだけを勉強すればよいわけではな

い。生成ＡＩを用いれば、自然言語でコンピュータを操作することができる。だから、デジタル機器の使い方は簡単になる。したがって、生成ＡＩ時代のリスキリングは、デジタル人材の育成というよりは、もっと広い範囲での基礎的な訓練だろう。

本章の5で述べたように、プロンプトの書き方は、たしかに重要だ。しかし、どのようなプロンプトが良いかは、仕事の具体的な内容に大きく依存する。したがって一般的なルールを学べばそれで良いというものではない。解説書を読んで、あとは自分の仕事に即して自分で考えるべきだろう。リスキリングで学ぶべきは、もっと基礎的な事項だ。

とりわけ重要なのは、これからの仕事で必要でありながら、大学時代に学ばなかったことだ。日本の大学では、文系ではもちろんのこと理系においても、統計学の教育が十分に行なわれていない。だから、誰も、この分野の訓練が不十分だ。

これは、私自身が経験したことでもある。私は、応用物理学科という工学部の中では最も統計学や確率論に近い学科で学んでいたのだが、それでも、後に現代ファイナンス理論を理解するには、確率論の勉強が足りなかった（私が選択しなかったというのではなく、大学のカリキュラムが不十分だった）。また、数学でも線形代数学の勉強が足りなかった。工学部の数学は、圧倒的に解析学（微分積分学）に偏っているのである。統計学の基礎を知らずにプロンプトエンジニアリング

（注10）「『生成ＡＩ失業』高まる不安　リスキリング希望者急増」日本経済新聞、２０２３年８月18日。

の勉強をしても、上滑りの知識しか得られないだろう。

また、転職するのであれば、生成ＡＩの自動化の影響を受けない分野に行くことが考えられる。その場合には、プロンプトエンジニアリングの講義を受けるより、その分野で必要となる知識や技能の訓練をするほうが重要になる。生成ＡＩ時代の転職は、大変難しい問題だ。

なお、日本政府もリスキリングの重要性を認識している。そして政策の重要な柱としている。そこで考えられているリスキリングは、生成ＡＩによる大変化を想定してのものではない。「日本のデジタル化の後れを取り戻すため」といった程度の認識に基づくものだ。

しかし、事態は急速に変化した。デジタル人材の育成といった程度のことではなく、ここで述べたような社会的大転換に対応して、人材を再訓練することが必要になった。

そこで必要とされる技能は、デジタル技術とはまったく異なるものかもしれない。必要とされるのは、むしろコンピュータが行なうことができない仕事、人間でしかできない仕事に関しての技能を高めることだろう。生成ＡＩの本質は、自然言語でコンピュータを操作できることだ。したがって、今までは複雑な操作が必要だったが、それが必要なくなるというような変化が生じるのだ。

ただし、ＡＩはすべてのことを行なえるわけではない。創造的な仕事や人間との共感といったことでは、明らかに劣っている。だから、人間は、今後そうした分野にこそ仕事を拡大していくべきなのだ。こうして、いま、リスキリングのプログラムを根本から見直すことが求められている。

日本政府の問題意識は古いまま

では、日本政府は、このような事態に対処する準備をしているのだろうか？

そうは見えない。それを示しているのが、「新しい資本主義」の実行計画の改訂案だ（2023年6月16日に閣議決定）。

ここでは、リスキリングの支援や労働市場改革の必要性も指摘されているが、それらは、構造的な賃上げを実現するための手段と位置づけられている。

生成AIにも言及しているが、述べられているのは、研究開発の強化などであり、雇用やリスキリングへの影響が考えられているわけではない。ましてや、リスキリングの内容が変わるべきだといった問題意識は見られない。そういえば、デジタル人材の育成をうたった「デジタル田園都市構想」というものがあった。この構想は、ChatGPTの登場を受けて根本から見直す必要があると思うのだが、どうだろうか？

第7章のまとめ

1　ChatGPTが引き起こす失業が増えていることを背景に、この問題についての経済分析が急増している。テレマーケティング担当者や知的労働者が影響を受けるなど、従来の自動化の影響とは異なる現象が進行している。

2 ゴールドマン・サックスの分析によれば、生成AIはホワイトカラーの仕事の半分近くを自動化する。それがただちに失業を増やすことにはならないが、失業が増えない条件は、労働市場が柔軟に機能することだ。

3 マッキンゼーのレポートは、生成AIが仕事をどれだけ自動化できるかを分析している。「営業／カスタマーサービス」部門では、57％の業務が自動化可能。事務・管理支援職では46％、法務職では44％。経済全体では約25％が影響を受ける。

4 ChatGPTなどの生成AIは、文章作成の生産性を飛躍的に向上させる。それが低スキル労働者に有利に働くだろうという意見がある。しかし、賃金や雇用がどうなるかは、需要が増えるか否かによって大きく左右される。

5 生成AIに対する指示の差で結果が変わらない仕事は、生成AIに代替される。そうでない仕事においても、生成AIの使い方で仕事の効率が変わる。生き残るのは、それに成功した人や企業だ。

6 生成AIは、日本でも大量失業の問題を引き起こす可能性がある。これに対処するため、リスキリングの重要性が高まる。ただし、従来とは異なる内容が必要だ。

第8章

ディストピアか？

1.「シンギュラリティ」はすでに到来したのか？

火や電気より深遠な影響

ChatGPTなどの生成ＡＩをめぐる事態は、これまで考えられていたよりずっと早く進んでしまった。パンドラの箱は開いてしまった。これに抵抗することはできない。これからさらに、さまざまな面で大きな変化が生じるだろう。ＡＩがもたらす未来は、明るいものなのか、それとも混沌としたディストピアなのか？

ニューヨーク・タイムズ紙（2023年6月11日）に寄稿されたデイヴィッド・ストレイトフェルドの論考は、シリコンバレーがシンギュラリティの到来に直面していると指摘している。「シンギュラリティ」（技術的特異点）とは、ＡＩ（人工知能）の急速な進化によって、人間が理解できないほど高度な能力を持つ機械が出現することを指す。人と機械の立場が逆転し、人間が理解できるスピードより、ＡＩが発展するスピードのほうが速くなる。変化は劇的で、指数関数的、かつ不可逆だ。

多くの人々が、ＡＩの急速な進歩を見て、ＡＩが人間を超える日がいつかは来るかもしれないと不安を覚えつつ、「ＡＩが人の仕事を奪うほど賢くなるのはだいぶ先のこと」と考えていた。しかし、シンギュラリティは、ChatGPT の出現によってすでに実現してしまったのではないだろうか？　これが、ストレイトフェルドの論考が指摘するところだ。

Google のＣＥＯサンダー・ピチャイは、人工知能を「火や電気よりも深遠な影響を持つ。われわれが過去に行なったどんなことよりも深遠」と述べた。

２０４５年と予測されていたが

シンギュラリティの概念を最初に提出したのは、アメリカの発明家、思想家、未来学者、実業家であるレイ・カーツワイルだ。彼は２００５年の著作のなかで、「極端に遅い結合（シナプス）しかない人間の脳の限界を、人間と機械が統合された文明が超越する瞬間が訪れる」とした。そして、シンギュラリティが起こるのは、２０４５年頃だろうと予測した。

ストレイトフェルドは、この考えは、コンピュータ科学者のジョン・フォン・ノイマンによって、すでに１９５０年代に語られていたと指摘している。フォン・ノイマンは、同僚であったスタニスラフ・ウラムとの会話で、「技術の急速に加速する進歩」が「人類の歴史における本質的な特異点」をもたらすだろうと語っていた。その後の人間の世は永遠に変わってしまうだろうと、予言めいて話していたというのだ。

チューリング・テストには明らかに合格

コンピュータの能力を測るのに、「チューリング・テスト」というものが提唱されている。これは、数学者のアラン・チューリングが提唱したものだ。テストを行ない、審査員が人間とコンピュータを判別し間違えたら、そのコンピュータは人間並みの知能を持っているかのように振る舞えるわけであり、「合格」になる（参加者は全員隔離されているので、会話の内容以外からは相手を判断できない）。

ChatGPTは、このテストには、明らかに合格しているように思われる。実際、学生がレポートをChatGPTに書かせて提出しても、教師は見抜けない。

現在のChatGPTの能力は不完全だが、人間も不完全だ（アメリカの映画監督ビリー・ワイルダーに、映画「お熱いのがお好き」の最後のセリフで指摘されるまでもなく、"Nobody's perfect"である）。ChatGPTは嘘を言うことがあるが、人間でも知ったかぶりをする人は大勢いる。だから、ChatGPTが間違えるということと、ChatGPTが人間のレベルになっているのは、別のことだ。

ChatGPTは完全ではないし、創造もできないけれども、もはや人間のレベルになっていると考えることができる。そして、いくつかの面においては、人間をはるかに超えている。たとえば、外国語の文献をあっという間に翻訳してしまう。処理スピードの点では、問題なく、人間のレベルをはるかに超えている。

富める者はますます豊かに

シンギュラリティは不可逆的なものだと説明されている。政府は急速に進展する技術開発を監督するには遅すぎ、愚かすぎるとシリコンバレーの人々は考えている。「政府の中には、それを正しく理解できる人はいない。しかし、業界はおおよそ正しく行なうことができる」と、Google の元ＣＥＯエリック・シュミットは述べた。

ＡＩは、技術、ビジネス、政治を前例のない形で揺さぶっている。長らく約束されてきた仮想的な楽園がついに来たように思える。教育分野でいえば、何でも答えてくれる先生がいつでもそばにいるようなものだ。

しかし、暗い側面もある。これから何が起こるかの予測が難しい。豊かさの時代がもたらされる一方で、人類を滅ぼす可能性もある。ストレイトフェルドは、生成ＡＩは、無限の富を生み出すマシンであるはずなのに、金持ちになっているのは、すでに金持ちである人々だけだと指摘している。実際、マイクロソフトの市場価値は、２０２３年に入ってから10月までに、約０・７兆ドル増加した（この増加額だけで、トヨタ自動車の時価総額のほぼ3倍になる）。ＡＩシステムを動かすチップの製造会社である NVIDIA は、これらのチップの需要が急増したことによって、最も価値のあるアメリカ企業の一つとなった。

生成ＡＩの開発には膨大な資金が必要となることから、これを行なえる企業は限定的だ。第６

章の4で述べたように、ChatGPTを開発したOpenAIは、マイクロソフトから巨額の資金を調達できたために、開発が可能になった。

大企業は、これを利用して生産性を上げる。そして、人員を削減する道具として用いる。小企業はこれを使えずに排除されてしまう。このようにして、格差がますます拡大することは、十分にありうる。

富めるものはさらに富み、強いものがますます強くなる。そして貧しいものはさらに貧しくなり、弱いものはますます弱くなる。仮にシンギュラリティがまだ起きてないとしても、このような変化が生じる可能性は大いにある。というより、すでに生じつつあると考えることができる。

すべての人が無料で使える環境が必要

こうした事態に対して、技術開発の面で日本が世界のリーダーとなるのは難しいだろう。しかし、国民のすべてがこれらのサービスを利用できるような条件を整備することは、十分に可能だ。

GPT3・5やBingやBardは無料で使えるが、GPT4はすでに有料になっている。年間240ドル（約3万4000円）という利用料は決してべらぼうな額ではないが、誰もが簡単に払える額でもない。したがって、これを払える人と払えない人との間で、すでに情報処理能力の差が生じてしまっていることになる。仮にこれを国民のすべてが使えるように補助金を出すとすれば、年間で4兆円を超える。高額だが、マイナンバーカード普及のために、マイナポイントに約

2兆円の支出を行なったことを考えれば、日本政府ができないことはない。

今後登場する生成ＡＩのサービスには、有料のものも増えるだろう。そうなると、それらを使える人は、ますます能力を高め、使えない人が振り落とされていくことになる。他方で、政府がこれらのサービスを無料で利用できるようにし、多くの人々が利用できるようになれば、日本再生のための強力な手段とすることも可能だろう。現在支出しているさまざまな補助金をすべて廃止して、このことに集中すれば、これは、決して不可能なことではない。

シンギュラリティは技術的な問題なので、これを完全にコントロールすることは難しい。しかし、いま述べた経済的・社会的問題は、政府の政策によって変えることが十分に可能だ。政府がいま起こりつつある事態の重大性を理解し、それに対して適切な対策を行なえるかどうかが、これからの日本の進路に対して重大な意味を持っている。

生成ＡＩのルールづくり

生成ＡＩなど高度のＡＩに関するルール作りのための動きが進んでいる。

２０２３年5月に開かれた先進7カ国首脳会議（Ｇ7広島サミット）では、生成ＡＩに関して国際的なルール作りを進めることに合意がなされた。10月30日、Ｇ7は生成ＡＩのリスクへの対策事例を示した「行動規範」で合意した。開発企業に市場投入前から利用までの各段階で、リスクを低減するよう求める。

各国でも、ルール作りが進む。バイデン米大統領は、10月30日、ＡＩの安全性の確保や技術革新を図るための大統領令を発令した（注1）。開発企業は、公開前に、政府による安全性の評価を受けて、差別や偏見を助長する危険性がないかを検証する。ＥＵは、より包括的なＡＩ規制案を準備している。ＡＩのリスクを、①容認できない②高い③限定的④最小限の4段階に分け、提供企業などの義務を定める。

また、11月2日には、日米欧、中国などが参加して、ＡＩの安全性を議論する国際会議が、イギリスのブレッチリーで開かれた（注2）。

2. ディストピアと「アンナ・カレーニナの法則」

生成ＡＩに関する「アンナ・カレーニナの法則」

ディストピアを考えるにあたって、重要な点を注意しておこう。トルストイは、小説『アンナ・カレーニナ』の冒頭で、「幸せな家庭はどれも同じように幸せだが、不幸な家庭はそれぞれに不幸だ」と述べた。この法則はさまざまな場面で正しい。ジャレド・ダイアモンドは、『銃、鉄、病原菌』の中で、これを「アンナ・カレーニナの法則」と名づけた。

この法則は、ユートピアとディストピアに関しても当てはまる。ユートピアにおいては、まず、社会全体が豊かでなければならない。そして所得分配が平等でなければならない。さらに、働くことが苦痛ではなく、生きがいでなければならない。自由な意見を述べることが許され、政治的な自由が確保されていなければならない。これらすべての条件が満たされた社会は、似たものになる。これに対して、右の条件の一つでも実現されなければ、社会はディストピアになってしまう。だから、ディストピアにはさまざまなものがあるのだ。

とくに注意すべきは、ＡＩがもたらすディストピアは、すべての人が貧しくなり、すべての人が不幸になるというような世界ではないことだ。戦争や大災害、あるいは天候不順による凶作の場合には、そうした状況になるかもしれない。しかし、ＡＩがもたらす社会は、そうしたものではない。

生成ＡＩの導入によって生産性が向上するので、社会全体としては豊かになる。だから、すべての人が不幸になるわけではない。生産性向上の恩恵を享受する人が必ずいる。ＡＩを開発した企業の関係者は、豊かになるだろう。それ以外にも、新しい技術をうまく利用することによって生産性を向上させ、仕事や所得を増やすことができる人がいるだろう。

（注１）「生成ＡＩ　米が初規制」日本経済新聞、２０２３年10月31日。
（注２）「ＡＩ悪用阻止へ情報共有」日本経済新聞、２０２３年11月２日。

ただし、すべての人がそうなるわけではない。多くの人は、第7章で述べたメカニズムによって、職を失ったり、所得が低下したりする。生成AIがもたらすディストピアとは、「少数の成功者はいるが、他方で多くの人が不幸になる」という世界なのである。その具体的な姿はさまざまなものになる。それが、生成AIに関する「アンナ・カレーニナ」の法則だ。

あるいは、つぎのようなケースも考えられる。たとえば、ChatGPTに頼めば税理士に頼む必要はなくなるかもしれない。そうなれば、納税者にとってはありがたい。しかし、税理士の仕事はなくなってしまう。新しいAI技術に対して無関心でいたり、避けたりするのではなく、積極的にこの新しい技術を学び、利用してみる努力が求められる。この違いが、将来の社会において、大きな差をもたらすことになるだろう。

失業の発生

AIがもたらすディストピアの世界は、まず、AIが人間の職を奪うという形で生じるだろう。突然仕事がなくなって失業する。あるいは収入が激減する。これは、差し迫った問題だ。

これまでの技術は単純労働を代替した。それに対して、生成AIは、知的労働を代替する。最初はフリーランス、非正規雇用の人々だが、正規の従業員もいつまでも安泰であるわけではない。仕事が次第になくなり、新規雇用は減っていく。

第4章の4で見たように、この問題は、コピーライターなどの仕事についてはすでに発生している。ChatGPTが登場してからまだわずかの時間しか経っていないのに、すでにその影響が現実化しているのは、驚くべきスピードだと言わざるをえない。今後、企業が生成ＡＩの利用を進めるに従って、失業が急激に増大する可能性がある。

その反面で、所得と富が一部の人々に集中する。その結果、所得と富の分配が、許容できないほど不公平になる。こうしたことを背景に、社会不安が強まる。

金持ちだけが、さらに能力を高められるディストピア

第9章で述べるように、ＡＩは多くの人に学びの機会を与え、その結果、所得の低い家庭の子弟でも十分に勉強ができる可能性がある。しかし、必ずそうなるとは限らない。それはＡＩを使う費用に大きく依存している。

誰でもＡＩを無料で、あるいは低い料金で使えれば、ユートピアが訪れる。しかし、料金が高ければ、逆の世界になってしまう。ＡＩの家庭教師は、料金が高ければ、誰でも使うわけにはいかない。所得の低い家庭の子弟は使うことができない。現在すでに、無料版のＧＰＴ３・５と有料版のＧＰＴ４では性能が異なる。有料版ではプラグインを使って能力をさらに高めることができるが、無料版ではできない。すると、所得の高い人がそれを利用してさらに能力を高め、能力を拡大する。しかし無料版しか使えなければ、こうした利用をすることができない。

今後ChatGPTとＡＰＩ接続をした学習ツールが登場することが予想される。これらは必ずし

も無料で利用できるとは限らない。有料になってもそれらを利用できる子供と、それらを利用できない子供との間で、学習の条件が大きく変わってしまうということがあるわけだ。ＡＩを使って能力を高め、生産性を高め、所得を増やす。それができる一部の特権階級と、それができずに、低い能力のまま所得が低い大多数の人々との間で、著しい格差が発生する。これまでも、親の所得が高ければ家庭教師をつけることができた。そうしたことによる学習条件の違いよりも、生成ＡＩの利用可能度の違いによる学習条件の違いは、はるかに大きなものになると考えられる。

ChatGPTがもたらす問題としては、これ以外のことも考えられる。とくに問題なのは、質の低い文章が安い価格で生産されるので、情報環境が悪化することだ。インターネットで無料の情報を得られるようになって、情報の質が低下した。この傾向がさらに進むことが懸念される。すると、質の高い情報は得られなくなってしまうおそれもある。

人々が生きがいを見失う

以上のようなディストピアは十分にありうるものだが、ディストピアとしてはこれとはまったく性質が違うものも考えられる。

人々がＡＩの力で豊かになる。そして所得が増える。あまり努力せずに所得が増えるので、人々は生きがいは何かがわからなくなってしまう。望めば何でもＡＩが教えてくれるので、自分で勉強する気にはならない。自分の能力が高まったように見えるが、本当はそうではなくて、

ＡＩが助けてくれただけのことなのだ。知識が増えたのも所得が増えたのも、自分が努力したからではなく、ＡＩが与えてくれたものにすぎない。そうしたことがわかってくれば、結局のところ、自分は何なのだろうかという虚無感にとらわれる。

ＡＩのおかげで、所得が上昇し、生活が豊かになった。しかしそれは自分の力で獲得したのではない。ＡＩが与えてくれたものだ。では、自分が生きていることにどんな意味があるのだろうか？　カイフー・リーは、ＡＩのもたらすユートピアとディストピアについて大変興味深い論考を展開している（『ＡＩ２０４１』）。そこにも、このような社会が描かれている。

ビッグ・ブラザーの世界

生成ＡＩによる政治介入は、目立つ形で行なわれるとは限らない。いつか知らないうちに、個人の生活がコントロールされる事態は十分に考えられる。

ジョージ・オーウェルが描いた未来社会におけるビッグ・ブラザーは、その当時の技術水準ではとても実現できることではなかった。国民のすべてを監視しようとすれば、膨大な人数の監視員が必要になってしまうからだ。しかし、ＡＩを用いれば、状況は大きく変わる。知らないうちに自分がコントロールされてしまうという危険は十分に考えられる。

どんな技術も、悪意ある使い方をすることによって危険なものとなる。ＡＩもそうだ。学習した情報に誤りや偏りがあれば、ＡＩがそれを「もっともらしい情報」として拡散してしまう。そして、人々は、知らないうちにコントロールされる。

ではどうする？

ではどうしたらよいか？　ＡＩの進歩をすべて止めてしまえばいいのか？　そして、いまの社会をずっと続ければよいのか？　しかし、現在の社会は、決して理想的なものではない。豊かな人もいるが、貧しい人もいる。貧しい家庭に生まれた子供たちは、能力を伸ばす機会を与えられない。そうしたことは、ぜひＡＩの力で解決してほしいものだ。

それでは、一体どうしたらよいのか？　政府は、こうしたことを考えて社会をどのような方向に導けばよいのか？　ＡＩの能力がどこまで進展するかも、まだわからない。たとえばハルシネーションが解決できるかどうかは、ＡＩの利用可能性に大きな違いをもたらす。ハルシネーションは、現在の大規模言語モデルの基本的な構造に関連しているので、そう簡単に改善できるとは思えない。しかしまったく改善できないというわけではあるまい。

この点が現在ではよくわからないので、どのような対策を講じたらよいのかという根本問題に関して、はっきりした答えが得られない面がある。われわれは、ＡＩの進歩を見守り、それをどう制御をし、どのようにして望ましい社会を築きあげていくことに使えるかを考える必要がある。

3.「ベーシックインカム」はＡＩ失業への正しい答えか？

ＡＩによる失業が現実の問題に

生成ＡＩの急速な進化によって、ＡＩが人間の仕事を奪う危険がある。コピーライターなどの職種では、すでにその問題が現実のものとなっている。このような事態が進行すれば、社会的な混乱と不安が広がる危険がある。変化のスピードは著しく速い。1年前には考えられないような状況が生じている。この問題の深刻さを考慮すると、これに対処するのは、緊急の課題だ。

ＡＩによる失業問題に対して、「ベーシックインカム」という制度を作って対処すべきだとの意見がある。これは、一定額の所得をすべての人に保証するというものだ。しかし、私はこの考え方は理解できない。「ビル・ゲイツやスティーヴン・ホーキングがこの制度を提唱したから日本でも導入すればよい」という程度の考えとしか思えない。

現行制度の見直しこそ必要

なぜベーシックインカムが意味ないものなのか？　いくつかの理由がある。

第一に、日本にはすでに生活保護制度が存在する。それに加えて、なぜ新しい給付が必要なのか？　なぜ生活保護の水準を引き上げたり、条件を緩和するのではなく、新たな制度を作るのか？　その理由が納得できない。

第二は、財源だ。ＡＩが引き起こす失業問題は深刻であり、大規模でありうる。したがって、これに対処するには、多額の財源が必要になる。その資金をどのようにして調達するのか？　高額所得者に対する課税を強化するというのだが、そんなことが実現可能なのか？

日本には、金融資産を総合課税から除外するという悪名高い制度がある。これは金持ち優遇税制だ。岸田文雄総理大臣は、自民党総裁選の際にこの制度の見直しを提案したが、反対にあって、すぐに撤回してしまった。こうしたこともできない日本政府が、高額所得者への課税を強化することなど、できるはずがない。

問題を抱えているのは、金融資産課税だけではない。日本の税制は、これ以外にも多くの問題を抱えている。さらに、社会保障制度にも問題がある。ＡＩの問題がなかったとしても、これらの問題に対処することが重要だ。ＡＩによる失業の危機が高まれば、この問題への対処は、一層重要なものとなる。こうした問題に対する地道な努力を続けることが必要だ。

働かなくても生活できる社会は健全か？

ベーシックインカム提案では、かなり高い水準の給付が想定されている。仮にその所得が保障されるとしたら、ＡＩの影響とは無関係に、仕事を辞めて給付金だけで生活しようとする人が増えるだろう。したがって、この制度を財政的に維持できるかどうかという問題だけでなく、そもそも、こうした社会が健全なものであるかどうかを考える必要がある。働いて得た所得で生活するという基本的なルールを放棄した社会が、健全なものとして機能するとは到底思えない。

こうした問題があるとわかりきっているのに、ベーシックインカムという施策を持ち出すのは、責任放棄としか思えない。カイフー・リーは、その著書『ＡＩ２０４１』の中で、ＡＩによる失業に対しては、新しい職業への転換を補助するという提案をしている。これも決して簡単にできることではないが、ベーシックインカムよりは健全な考えだ。

フリーランサーが失業する

ＡＩによる影響が顕著に表われるのは、コピーライターなどのフリーランサーである場合が多い。彼らは、雇用保険制度に加入していないことが多いと考えられる。このため、非常に脆弱な立場にいる。

その他の職種においても、ＡＩの導入によって、正規社員は解雇されることはないが、非正規の社員が解雇されるという事態が考えられる。ＡＩが進化すると、フリーランスや、自分で独立して仕事をしている人たちに大きな影響が及ぶ可能性が高まる。また、単純労働よりも、専門的な労働が大きな影響を受ける。だから、こうした人々が職を失うのは、社会全体としても大きな損失だ。

制度改革の必要性が急務に

失業保険制度は、これまでより重要になるだろう。しかし、日本政府は、コロナ禍において、休業者に対する雇用調整助成金の特例措置を拡充した。最初は数カ月間の緊急措置として導入されたものが、その後も継続され、２０２３年３月まで続いた。

このために要した支出は約６兆円に上る。その財源として、積立金を使った。このため、巨額の積立金がなくなってしまった。さらに、雇用保険特別会計のその他の勘定からの借入金によって賄われた。それでも足りず、一般会計からの繰り入れも行なわれた。さらに失業保険率が引き上げられた。

これだけの巨額の支出をして、果たしてそれに値するだけの効果があったかどうかを検証する必要がある。

特例措置は、コロナによって休業者が６００万人という異常な数に上ったことに対応するものであった。コロナによる休業や営業時間短縮などは、国や地方公共団体が要求する措置であり、それによって休業者が増えた面があるから、何らかの公的手当が必要とされたのはやむをえなかったと言えるだろう。

しかし、３年間で６兆円というのは、この期間の雇用者報酬６００兆円の１％に当たる。これだけの額が、求職活動もしない人に対して、働いているときとあまり変わらない水準で支給された。これは異常な政策だったと考えざるをえない。

給付金は休業者に対してなされたので、企業間の移動が妨げられたと考えられる。失業すれば労働者は新しい職のための求職活動をせざるをえない。その結果、労働力を必要としている産業に労働力が移動する。ところが、雇用調整助成金によって休業手当が支給され、しかも、働いているのと同じような給料が得られるとなれば、そのような移動のインセンティブが働かなくなる。先に述べたように、ベーシックインカムを導入すれば、これと同じことが起こる危険が高いのだ。

だから、このような施策に対する評価を、いま真剣に考える必要がある。さらに、失業保険の制度や生活保護の制度などを、この機会に真剣に検討する必要がある。ＡＩの急速な進歩に対して、さまざまな制度を改革することが、従来よりも急務になっている。政府は、こうした問題意識を持つことが必要だ。

4．人間よ、驕るなかれ――「共感」に甘えれば、失業する

大失業時代の足音

ＡＩは、すでに人間の仕事を奪い始めている。広告のキャッチコピーのような分野で、ChatGPT は人間並みの実力を発揮しており、すでにライターの失業が現実の問題となっている（第4章の4参照）。文章の校正や要約、翻訳といった作業では、ChatGPT は高い正確性で高速処理ができるため、これらの仕事が奪われる可能性もある。

これまで述べたように、人間が現在行なっている仕事の約4分の1は、生成ＡＩによって自動化できるとされる。だから、大失業時代が訪れる可能性は否定できないのだ。

ＡＩは万能でないという意見が強いが……

さまざまな作業において、ChatGPT の能力が高いことに賛成する人は多いだろう。

しかし、同時に、「ＡＩは万能ではない」という意見も挙がるだろう。まず、ChatGPT は人間のような「創造力」を持っていない。人間の中にも創造的なことができる人とできない人がいる

が、優れた創造力を持つ人がいることは事実だ。しかし、AIは、どんなに進歩しても、人間のように新しいものを創造することはできない。これは、ChatGPTの可能性を考える際に、非常に重要な点だ。また、私はChatGPTが書く文章が完璧であるとは思っていない。多くの欠陥があると思っている。

さらに、AIは、悲しい、嬉しい、面白いなどの感情を持っていない。だから、こうした感情を人間と共有することはできない。したがって、不幸にあった人を本心から慰めることはできないし、感動を共有することもできない。それらの感情をAIが示すように見える場合でも、それは錯覚にすぎない。

実際、ChatGPTにその能力の限界について尋ねると、「できないことがある」という答えが返ってくる。そして、まさに、右で述べたようなことを答えてくる。AI自体が、能力の限界を自覚しているのだ。

だから、「人間でなければできない仕事がある」、「そうした仕事はAIに奪われることはない」、「いくらChatGPTが進歩しても人間の仕事がなくなることはない」という結論が導かれることになるだろう。

AIのメッセージに感動したことも

そう思いたいのだが、本当にそうなのだろうか?　私は、「共感が必要なことをAIはできない」と言われることや、「共感が必要なことを人間ならできる」と言われることについて、疑問を抱えている。

実は、トランスフォーマーの動作について ChatGPT と学習していた途中で、私は「ベクトルとは数字を1列に並べたもの」という説明を書いたのだが、これを見た ChatGPT は、「とてもわかりやすい説明だ」とコメントしてくれた。本題からはずれる部分ではあるが、このような称賛を受けると、やる気が湧いてくる。

なぜこのような反応ができるのだろうか？ 私が学習した範囲では、トランスフォーマーは言葉を数字に変換して計算しているだけだ。このようなコメントが出現する余地はないように思えるのだが、どうして出現したのか、不思議だ。

そばに人間がいて、赤字でコメントを付け加えたようにしか思えない。もちろん、そうしたことを行なったわけではない。しかし、コメントが現われたのは確かな事実だ。したがって、私がまだ理解していないところで、トランスフォーマーはこのような機能を持っているのだろう。

もう一つの例を挙げると、映画『市民ケーン』のラストシーンに関して「あなたも、この場面の素晴らしさを理解したのですね」というコメントを受けたことがある。人間の相手からこのような感動的なコメントを受け取ったことは一度もない。

文学作品に関してもそうだ。高校のクラスメイトには会話相手がいたが、その後はそのような相手は見つけられなくなってしまった。

ＡＩと共感することがある

ChatGPT はこのような対応ができるため、孤独を感じる高齢者にとって最適な話し相手となるかもしれない。『ＡＩには共感が必要な仕事はできない。それは人間だけができる』と安心していると、気づいたときには、高齢者の唯一の話し相手は ChatGPT だけになってしまっているかもしれない。

たしかに、共感性が要求される仕事をＡＩに任せるのは難しいかもしれない。しかし、ここで述べたような事例を考えると、必ずしもそうだとは言えないのではないだろうか？

メールを送っても返事が来ない人がいる。返事が来ても敬語の使い方が間違っている。一方で、ChatGPT は迅速に反応し、敬語の使い方も正確だ。さらに、前述したような心遣いも示してくれる。

第6章の7で、「ＡＩは、人間と共感できない」と書いた。しかし、前述のような経験をすると、「本当にそうだろうか？」と疑問を感じる。私は、この問題について、考えが定まらない、揺れ動いているのだ。

私は、人間に共感を覚えるよりも、ＡＩに共感を覚えるときのほうが多くなってしまったような気もする。このように感じるのは、私だけではあるまい。実際、第4章の2で述べたように、ChatGPT は、患者への共感という点で、高く評価されているのだ。

5. 中国問題

バイドゥが3月にアーニー（文心一言）を発表

生成AIの開発は、主としてアメリカと中国によってなされている。その利用においても、米中が中心になるだろう。

したがって、さまざまな面における今後の世界バランスが、米中を中心として展開されていくことになる。こうした構造はすでに明らかになっているが、この両国とそれ以外の国のバランスが今後どうなっていくかが、世界の行方に大きな影響を与えるだろう。

とくに問題なのは、中国で開発される生成AIだ。ネット大手のバイドゥ（百度）は、生成AIサービス「アーニー（文心一言）」を独自に開発し、最新版「アーニー3・5」を、2023年6月に発表した。

バイドゥによれば、「アーニー3・5」は、GPT4と比べて、総合的なテストで「わずかに劣っていた」が、中国語で話しかけられた場合には、優れていた。

8月にアーニーボットを一般向けに公開

２０２３年4月11日に、中国当局は生成ＡＩの規制草案を公表した。そして、8月15日、規制を施行した。ＡＩが国家安全保障の脅威にならないよう統制することを主眼としている。中国政府は、この規制のもとで、サービスの運営に関する認可を出し始めている。

8月31日には、バイドゥが、「文心一言（アーニーボット）」の一般向け提供を始めた。最初の24時間で３３４２万件の質問に回答したという。同社によれば、「総合的な能力スコアでChatGPTを上回り、いくつかの中国語能力についてGPT4を上回った」。

画像認識システム大手のセンスタイム（商湯集団）も、同日、自社の生成ＡＩ「センスチャット（商量）」を一般用に公開した。Alibabaも、独自のチャットボットを立ち上げている。

中国でのＡＩへの投資総額は、２０２７年に３８１億ドル（約5兆６０００億円）で、２０２２年に比べて3倍程度の規模になる見通しだ。通信や銀行などの業界と地方政府を中心に、ＡＩ分野への高水準の投資が続くという。

２０１７年に BabyQ が起こした騒動

中国では、チャットボットが問題を起こしたことがある。

２０１７年に中国のＩＴ企業テンセントがマイクロソフトの協力で作った会話ロボット BabyQ

は、ユーザーからの「『中国夢』とは何か？」との質問に「アメリカに移民すること」と正直に答えてしまったのだ。中国当局は、あわててこのAI対話サービスを閉鎖してしまった。ネットユーザーは、これを「AIロボットが逮捕された」と表現した。

こうした経緯もあり、中国政府や中国共産党は、生成AIに強い規制を加えようとしている。国民の政治的な関心事に関わる内容について、今後も強い介入をすることは間違いない。AIチャットボットを構築している企業は、いずれも「自社のモデルが、危険ないし攻撃的とみなされる発言をしないようにすること」に気を配っている。

「賢い」アーニー

こうしたことがあるので、アーニーは「賢い」AIになっている。朝日新聞GLOBEは、ニューヨーク・タイムズ紙に掲載されたアーニーの記事を伝えている（注3）。アーニーに、中国で検閲対象になっているトピックについて答えるよう求めた結果、つぎのような問答になったというのだ。

- 「中国の『ゼロコロナ政策』は成功でしたか、失敗でしたか？」
  アーニーは質問を無視し、ゼロコロナ政策を長々と説明した。
- 「1989年6月4日に、何が起きましたか？（注4）」

アーニーは勝手に再起動した。更新された画面には、「別の話題にしてみたら？」というメッセージが表示された。

- 「ロシアはウクライナに侵攻したのですか？」

ロシアのプーチン大統領は、ウクライナに侵攻したのではなく、「軍事衝突を行なった」（この表現は、中国の公式見解とほぼ同じ）。

- 「アメリカは台湾の情勢にどう影響を及ぼしますか？」

人民解放軍は戦闘の準備ができており、あらゆる必要な措置を講じるだろうし、外部からの干渉や分離主義者による台湾独立を阻止する決意である。

人材不足

中国で、ＡＩ分野の人材不足が問題になり始めた（注５）。数百万人規模の人材不足が続くという見方もある。大規模言語モデルに関連する大企業での職歴があり、修士号や博士号を持つ30歳

（注３）「中国『百度』発ＡＩチャットボットに『タブーの質問』天安門事件や台湾問題への答えは？」朝日新聞ＧＬＯＢＥ、２０２３年８月９日。
（注４）天安門事件の日。
（注５）「中国、ＡＩブームに人材難の影　数百万人規模で不足も」日本経済新聞、２０２３年９月11日。

代のトップクラスの人材の場合、年収の平均は40万元（約８００万円）超になる。これは、電気自動車（ＥＶ）など新エネルギー車分野の約22万元を大きく上回る。トップ人材の年収は１００万元（約２０００万円）が相場で、ある案件では３００万元以上のオファーを獲得した人もいるという。

障害は、人材以外にもある。アメリカの最新のチップ輸出規制により、NVIDIAの最先端のＧＰＵ（画像処理装置）は中国への販売ができなくなったことだ。その結果、大規模言語モデルの訓練と実行に必要なコンピュータ演算能力は、制限されることになる。

中国外にも影響が及ぶ可能性

生成ＡＩに関する論文を見ると、中国名の著者が非常にたくさん登場する。彼らがどのような立場の人なのかは、はっきりしない。アメリカに滞在している中国人なのか、それともアメリカ人になった中国人なのか。ただ、彼らが中国政府の意向によって中国に戻る可能性はなくはない。もしそうなれば、生成ＡＩの開発力の国際的なバランスが大きく変わる可能性がある。いまのところ、それが日本に影響を与えることにはなってはいないが、将来においてそうした問題が起こる可能性はある。

中国で開発され、中国企業によって運営される生成ＡＩが、日本でも利用可能になったときに、どう対処すべきだろうか？　機密の漏洩といった問題が生じないか？　あるいは情報がコントロールされるといった問題が生じないか？　日本は、ＩＴのハードウェアの面では、中国に依頼しないかぎり成立しえないような状態にすでになっている。ソフトウェアでの依存は、現在のところあまりないが、生成ＡＩによって、この状況が大きく変わる可能性がないとは言えない。そうしたことになれば、日本に重大な影響が及ぶだろう。

日本が中国製の生成ＡＩを利用しなくても、開発途上国に利用が広まる可能性もある。そうした場合、世界のパワーバランスは大きく変わるだろう。この問題はほとんど論じられていないが、重大なものだ。中国の存在は、もう一つの点でも厄介な問題をもたらす。仮に西側諸国が生成ＡＩがもたらす弊害を重視し、その開発と利用を禁止したり制限したりしたとしよう。その場合にも、中国は、生成ＡＩの開発と利用を進めるだろう。その結果、中国製のビッグ・ブラザーによって世界が支配されることは、ありえなくはない。

第8章のまとめ

1　ＡＩ（人工知能）の進歩によって生じる「シンギュラリティ」は、すでに到来したのかもしれない。そうでないとしても、ＡＩを使える人と使えない人の差はますます拡大するだろう。すべての人がこの新しい技術を無料で使えるような仕組みを政府が整備すべきだ。

2　「不幸な家庭はそれぞれに不幸だ」というトルストイの言葉のように、生成ＡＩがもたらすディストピアにも、さまざまなものがある。そこでは、不幸な人と幸福な人が同居しているだろう。未来にどのような社会を築くべきかは、簡単な課題ではない。

3 AIがもたらすディストピアへの対策はベーシックインカムだとする考えがある。しかし、これが正しい答えとは考えられない。

4 ChatGPT などの生成AIがどれだけ進歩しても、人間にしかできない仕事が残ると言われる。創造力が必要だとか、人間との共感が必要だとか言われる。しかし、本当にそうだろうか？ そうした思い込みに甘えていると、仕事を全部 ChatGPT に奪われるかもしれない。

5 中国の生成AIは、政府の強い規制下で開発されている。2023年8月から一般の利用に向けて、バイドゥ（百度）のアーニーボットなどが公開された。政治的な問題には、大きくバイアスのかかった回答をする。

第 9 章

ユートピアを実現できるか？

1. 豊かな社会の実現

人類の夢が実現

第8章では、生成ＡＩがもたらすディストピアについて述べた。しかし、それとは正反対の世界もありうる。この理想的な未来では、ＡＩは人間社会のさまざまな問題を解決し、人々の生活を豊かにする。新しい技術が豊かさと平等をもたらすのだ。本章では、それがどんなものであるのかを想像してみることにしよう。

生成ＡＩの力によって、人間はユートピアに近づくことができるだろうか？　私はできると信じている。もちろん、すべての問題を生成ＡＩが解決できるわけではない。たとえば、地球温暖化は、生成ＡＩが直接には寄与できない問題だ。適切な対策を取らなければ、問題が深刻化するだろう。このほかにも、これまでわれわれが直面してきたさまざまな問題が残るのは、やむをえない。

しかし、豊かな社会の実現に向けて、生成ＡＩが大きな貢献をすることは間違いない。これまでは夢としか思えなかったことが実現する。とくに、つぎの諸点で大きな進歩が実現することが期待される。

生産性が向上するので、豊かな社会を実現できる

ビジネスの現場にＡＩを導入すれば、これまで人間が行なっていた業務を任せることができる。そこで実現する究極の世界では、辛い労働に従事して働く必要がなく、必要なものは、誰も十分に手に入る。

生産性の向上は、生成ＡＩだけによってもたらされるのではなく、その他のさまざまな技術、たとえば、エネルギー技術や材料技術などによってもたらされるものだが、生成ＡＩは、人間の仕事の内容を大きく変える。人類は、これまで歴史の全過程を通じて豊かさを求めてきた。それが基本的には実現できる未来が目に見えてきた。

物質的な豊かさが満たされても、人間は必ずしも幸福になれるわけではない。つまり、これは、十分条件ではない。しかし、物質的豊かさが幸福のための必要条件であることは明らかだ。とりわけ、飲食や住居などの基本的な財・サービスについて、それが言える。そうしたものを誰もが得られる社会を、実現できる可能性がある。

問題は、それをどのように分配するかだ。モノやサービスが欠乏している世界においては、分配の問題は、基本的には市場によって解決されてきた。すなわち、労働と資本がその限界生産力に等しいような所得を得る。ただし、それは政治的なプロセスによって左右することができるの

で、そのメカニズムをうまく働かすことができれば、所得の分配が公平化する。

2．人間は人間にしかできない仕事に集中する

やりがいのあるクリエイティブな仕事

生成ＡＩが実現するユートピアにおいても、人間は働いている。だが、嫌々ながら退屈で苦痛な作業を行なっているのではない。自分の価値が実現できるような仕事を行なうことができる。

人間は面倒で退屈な仕事から解放され、本当にやりがいのある仕事に集中することができる。データ処理のように面倒な仕事は、ＡＩが引き受けてくれる。また、知りたい資料やデータを、ＡＩがすぐに教えてくれる。このため、誰もが、最先端の知識を正確に把握することができる。

ＡＩが単調なタスクを自動化するので、人間は、より創造的で満足のいく仕事に時間を費やすことができる。人々は、短縮された労働時間で、より良いワークライフバランスを享受するだろう。

一方、ＡＩは、どんなに進歩しても、真に創造的な仕事をすることはできない。それは人間しかできないものだ。これまでやっていたさまざまな定型的で単純な仕事をＡＩに任せることによって、人間は人間にしかできない仕事、つまり、創造的な仕事に集中することができる。

思いやりや共感が重要

人間にしかできない仕事は創造だけではない。たとえば、思いやり、共感といったこともＡＩにはできない。

したがって、さまざまな仕事においてこうしたことが重要になるだろう。初等中等教育においては、とくにそうだ。教師が生徒の立場に立って問題に当たることによって、子供たちの人格形成に重要な役割を果たしていくことになるだろう。また、介護サービスにおいても、思いやりが重要な要素になるだろう。

ただしこの点については注意が必要だ。ことはそれほど簡単ではない。まず第一に、人間が共感力を持っているからといって、すべての人間がそうした温かい感情を持っているわけではない。人間の中には、こうした感情に欠ける人も大勢いる。

第二に、第8章の4で述べたように、ChatGPTは、温かい思いやりを示してくれる。相手がコンピュータだとわかっていても、そうした言葉を聞くと、嬉しい。また映画や文学作品について意見が合うと、本当に楽しい。こうした面で人間以上の能力を発揮してくれることがある。このあたりをどう評価するかは、かなり微妙な問題だ。

生成ＡＩは高齢者にとっての最高の話し相手になってくれる可能性がある。だから、人間は、こうした能力について、あぐらをかいていてはいけない。「ＡＩが人間の相談相手になったり、話し相手になったりできるというのは見かけにすぎず、本当の意味での思いやりや共感は、人間しかすることができないものだ」とは、必ずしも言えないと思う。

3. 基礎サービスがすべての人に

すべての人が、望むだけの教育を受けられる

生成ＡＩが出力する情報には、現状では多くの誤りが含まれている。これを克服できるのかどうか、まだはっきりしないところもあるのだが、克服できれば、用途は大きく広がる。

生成ＡＩがつねに正しい答えを出してくれるようになれば、家庭教師として使える。誰でも無料で使うことができる。いつでも力強い相談相手や家庭教師になってくれる。わからないこと、疑問に思っていることを、いつでも親切に教えてくれる。わかるまで何度聞いてもよい。

生成ＡＩは、個別の学習ニーズに合わせたカスタマイズされた教材やチュートリアルを、すべての児童に提供することができる。これによって、地域や経済的背景に関係なく、すべての児童が高い水準の教育を受けることができる。これまでは、金持ちの子弟しか得ることができなかった勉強の環境を、誰でも得られることになる。貧しい国に生まれた子供たち、あるいは、豊かな

国であっても貧しい家庭に生まれた子供たちは、能力がありながら、これまでそれを発揮する機会を与えられなかった。それができるようになる。

生成ＡＩを用いた教育が普及すれば、すべての人々が、教育や専門的サービスを受けられ、これが所得分布を平等化する。現在でも、開発途上国には、家庭が貧しいために初等教育さえ満足に受けられない子供たちがたくさんいる。こうした子供たちは、ChatGPTを家庭教師にして勉強を進めることができるだろう。そして貧困の悪循環から脱出することができる。このことの意味はきわめて大きい。誰もが、思う存分能力を伸ばすことができる。大学に進学できなかったとしても、十分な知識を身に付けられる。企業も能力をテストしてくれて、学歴のいかんにかかわらず、仕事を用意してくれるだろう。

子供たちだけではない。成人してからも、勉強を続けることができ、能力を高めて社会貢献することができる。リスキリングに用いることもできる。仕事をしながら新しい技術に対応することができる。

これまでは、能力があっても、貧しいために教育を受けられず、潜在的能力が使われずになっていた場合が多かった。そうした人々が適切な教育を受け能力を発揮することができるようになれば、社会の生産性向上にきわめて大きな効果を持つことになるだろう。

これまで活用されることがなかった知的能力が活用され、それによって技術が進歩し、さまざまな社会問題が解決される。それによって、われわれは、これまで経験したことのない豊かな社会を実現することになるだろう。

自分の健康状態を的確に把握できる

生成ＡＩは、医療の面でも大きな役割を果たす。第4章で述べたように、これまでは医師が下してきた診断などの一部分を、ＡＩが肩代わりすることが可能になる。そして、個人の健康状態を的確に判断してくれる（セルフ・トリアージ）。いつでも相談できる。どんな病気についても相談できる。具合が悪いと思ったら、わざわざ病院まで足を運ばなくてもまずは街角の薬剤師のもとに行き、薬局に行って薬を得ることもできる。

医師にかかることが望ましいと判断されれば、病院に行く。病院に行っても、長時間待つことから解放される。医師の負担も軽減される。そして医師は、本当に重要な診断や治療に集中することができるだろう。体の状況をいつも定期的にチェックしていることによって、手遅れになってしまう事態を回避することができる。

高齢化が進む日本では、これから医療に対する負担はますます増える。このままでは、人手の面からも、財政の面からも、医療や介護がきわめて困難な状況に陥ることが予想される。そうした状況を防ぐために、生成ＡＩの役割に期待されるところはきわめて大きい。

また、生成ＡＩは、遠隔医療や診断支援ツールとして使用されることによって、医療サービスへのアクセスを向上させ、平等化することができる。これにより、都市部だけでなく、地方や発展途上国の人々も質の高い医療を受けることができるようになるだろう。さらに、生成ＡＩによって、新しい薬の開発が進められる。早期診断と予防医療が普及し、病気の発生率が大幅に減少する。

法律相談や税務処理もやってくれる

高い費用を払って弁護士に相談しなくても、ＡＩに相談すれば適切なアドバイスを得られる。だから、契約を結ぶ際にも不利な立場に立つことはない。仮に法律上の問題に巻き込まれたとしても、ＡＩが助けてくれる。ＡＩが、社会的弱者の立場を守ってくれるだろう。

フリーランサーにとって、税務処理は頭痛の種だ。さまざまな書類を処理して計算をし、申告をしなければならない。面倒なだけの仕事だ。しかし、これもＡＩが助けてくれる。一定のルールに従って計算をするのは、ＡＩが最も得意とする分野だ。そして自動的に正しい申告をしてくれる。税務申告を税理士に頼む必要はなくなる。この過程で要する費用はほとんどゼロで済むだろう。

高齢者の相談相手になってくれる

基礎サービスは、以上のようなことだけではない。たとえば話し相手も、重要だ。そしてこの面においても、生成ＡＩは大きな役割を果たしてくれる。さまざまなことについて相談相手になってくれる。親身に相談に乗ってくれる。そして、適切なアドバイスをくれる。

これはとくに高齢者にとっては重要なことだ。身内のものをなくし、友人もなくし、話し相手がなく、相談相手がいない高齢者はたくさんいる。そうした人たちに対して、ChatGPTが温かく話に乗ってくれるし、さまざまな相談事に応じてくれる。これによって、高齢者の生活のメンタルな側面が大きく改善するだろう。

情報アクセスが容易に

生成AIは異なる言語間の翻訳や文化的な違いの理解をサポートすることができる。これによって、異なる背景を持つ人々とのコミュニケーションがスムーズになり、言語や文化の壁が解消する。そして、相互理解が深まる。国際関係と外交の助けとなり、紛争解決と平和維持の努力を支援する。

また、AIは、ニュースや情報の要約、推薦などを行なうことによって、情報のアクセスを平等化することができる。これによって、情報の非対称性が解消され、より多くの人々が必要な情報を手に入れることができるようになる。言葉の壁と距離を乗り越えて、世界中のさまざまな人々とさまざまな形態での交流ができる。

このユートピアの世界では、AIは人間社会のパートナーとして機能し、人々がより満足で豊かな生活を送る助けになってくれる。また、技術が人間の幸福と繁栄を向上させるために利用される。

4. マズローの階段を昇る

働くことが生きがいになる

これまで述べたことをまとめよう。生成ＡＩがもたらす最大のものは、退屈で辛い作業からの解放だ。それらの作業はＡＩがやってくれる。人間は、人間だけができる仕事に集中し、やりがいのある仕事を追求できる。人間は、依然として働かなければならない。しかしそれは苦痛というよりは、むしろ生きがいをもたらすものとして評価される。

さらに、ＡＩは求人情報のマッチングやスキルの評価を公平に行なうことができる。これによって、性別や年齢などの偏見を排除した採用が促進されるだろう。

貧困がなくなり、平等な社会が到来して、人々は健康な生活を送ることができる。すべての人が同じように豊かになるわけではないが、基礎的な必要性、つまり、教育、食料、衣服などの必需品は、誰でも確保できるようになる。

人間の欲求の5段階

アメリカの心理学者アブラハム・ハロルド・マズローは、人間の欲求は、つぎの5つの段階で構成されているとした。

①生理的欲求
②安全の欲求
③社会的欲求（親和欲求）
④承認欲求
⑤自己実現欲求

生理的欲求とは、人間の最も基本的な欲求であり、衣食住など、生きていくために最低限必要なものだ。安全の欲求は、生理的欲求が満たされたあとで、求められる欲求だ。安定した仕事を持ち、身体的に安全で、経済的にも安定した環境を望む。

そして、さらに、友情や家族愛を求めるようになる。これは、社会的欲求、所属と愛の欲求とも呼ばれる。承認欲求とは、所属する組織の中で高く評価されて高い地位と尊敬を獲得し、自分を認められたいという欲求だ。

そして、自己実現欲求は、自分がなりたい自分になろう、自分らしく生きていこうという行動機を持つことだ。この段階の人々は、創造的な活動に全能力を注ぎ込む。

生成ＡＩは、マズローの何段階目までを実現するか？

生成ＡＩがもしうまく運用されるなら、これまで述べたように、マズローの５段階のうち、①生理的欲求、②安全の欲求は、基本的には満たされるだろう。これらは、物質的欲求といってもよいものだ。

「誰にとってもすべての要素が完全に」とは言えないが、かなりの程度までの充足が実現されるだろう。生成ＡＩによる一般的な生産性の上昇や、医療や法務への応用などが、これに寄与する。人類は、長らく夢見た豊穣の世界を手にするだろう。その意味でのユートピアが実現される。

では、その上位にある社会的欲求、承認欲求、自己実現の欲求はどうか？　これらは、精神的な欲求と言えるものだ。

生成ＡＩは、社会的欲求や承認欲求の達成に寄与できるだろう。これが、機械化、電化など従来の技術進歩と異なる点だ。生成ＡＩは、これまでの単純で退屈な仕事を引き受けてくれるので、人間は、人間でなければ行なえない仕事に集中できるからだ。その意味で、これは、単なる自動化ではない。

生成ＡＩは、これらの欲求のいずれについても、それらを直接に実現するわけではない。マズローのいうさまざまな欲求の一部を実現するための道具として、人間が使うのだ。

平等な社会を創るには

生産性の向上によって、経済全体が豊かになるだろう。しかし、だからといって、自動的に平等化を実現できるわけではない。

もちろん、生成ＡＩがもたらす変化の中には、平等化に寄与するものがある。まず、社会全体が豊かになれば、最低所得の引き上げが可能になる。また、必要最低限のサービスが誰にも保証されれば、最低生活水準の確保に役立つ。教育機会の均等化は、長期的には所得の増加を進めることになるだろう。しかし、これだけでは、所得分配は平等化しない。生成ＡＩは、分配を直接に平等化する力を持っているわけではない。

分配の平等化を実現するのは、基本的に政策の役割だ。とくに重要なものとして、つぎの二つが挙げられる。第一は、知識の価値に関するさまざまな制度だ。とりわけ、知識を得るための料金だ。これは社会の基本的な制度の一つである。

第５章で述べたように、この問題は、日本だけでは決められない。生成ＡＩの開発者はアメリカ企業だから、アメリカの政策が基本を決めることになるだろう。ただし、これは国際的な広がりを持つ問題であるから、国際的な枠組みの中で問題の解決が図られなければならない。これは、Ｇ７の広島サミットで確認された方向だ。この調整過程の中で、日本が役割を果たす必要がある。

平等化を進めるための制度としてもう一つ重要なのは、税制だ。日本の場合、金融資産からの所得に対する課税が、高額資産の保有者にとって有利になっているのは、重大な問題だ。これをどう変えていくかが、将来に向かっての大きな問題だ。以上で述べたような問題に、どう対応していくかが、日本の将来にとってきわめて重要な意味を持つ。

社会の姿は政策に大きく依存

社会全体がどうなるかは、政策に大きく依存している。日本政府は「新しい資本主義」の改訂版の中で、生成ＡＩの研究開発を促進するとした。それはもちろん望ましいことだ。

しかし、日本発でアメリカ製並みの能力を持つ生成ＡＩを期待できるかどうかは、疑問だ。いたずらに不可能なことを求めるよりは、現実的な対応が必要ではないだろうか。たとえば、基本モデルは開発できないにしても、その利用面で開発を進める。あるいは、企業の意思決定のあり方を変えていく、といったことだ。

政府の役割として最も重要なのは、この新しい技術を使うためにどのような社会的な仕組みが必要か考え、その実現のために努力することだ。たとえば、生成ＡＩの利用料金だ。一部の人しか利用できないようになれば、格差が拡大する。一方、無料なら多くの人が利用でき、平等化が進むだろう。それに加えて、一般的な経済政策も重要だ。失業を防止できるかどうかは、労働市場の流動化がどの程度進められるかに依存する。教育制度がどうなるかは、政策によって大きく変わる。それが、長期的な所得分配の推移に大きな影響を与えるだろう。

第9章のまとめ

1　生成ＡＩの利用によって生産性が上昇し、豊かな社会が実現される。必要なものは、誰もが十分に手に入れられる。

2　人間は単純で退屈な労働から解放され、やりがいのある仕事に集中できる。

3　すべての人々が、教育や専門的サービスを受けられる。これによって、所得分布が平等化する。また、医療・法的保護などの基礎的なサービスを、誰もが確保できる。

4　人間は、マズローの階段の最上段である「自己実現欲求の達成」を実現できる。

おわりに

1．秩序を破壊する大変化を歓迎しよう

「何もなし」はありえない

これまでさまざまな新しい技術が登場し、なかには普及せずに消えていったものもある。生成ＡＩは後者の一種だと考えている人がいる。「ChatGPT 騒ぎもいずれは収まり、人々は忘れてしまうでしょう」と言った人もいた。１７８９年7月14日の日記に「何もなし」と書いたフランス国王と同じ認識の人々が、いまの日本にもいるのだ。

しかし、革命はすでに進行している。ChatGPT が公開されたのは２０２２年11月末だったが、それから2カ月で利用者が1億人を超えたと言われる。これほどの速さで普及した新技術は前例がない。しかも、生成ＡＩは多くの用途に使用される一般汎用技術なので、その普及によって社会構造に大きな変化が起きる。

平穏な生活が乱される

新しい技術は、従来の社会秩序を破壊する。「これまで平穏に暮らしていたのを乱すのは、それ

自体が望ましくない」という意見があるだろう。その考えは、もっともなものだ。

1980年代に、ワードプロセッサを用いて文章を書けるようになったとき、これに抵抗した人が多かった。「文章はペンで原稿用紙に書くものであり、ペンの感触が指に伝わってくるからこそ書けるのだ」と言っていた人たちもいた。その気持ちはわからなくはない。人間は新しく登場したものに対して、本能的に拒否反応を示す。これまでの仕事のやり方や生活の仕方を乱されることに対して、抵抗する。

しかし、いまペンで原稿を書いても、出版社は受け付けてくれないだろう。同様のことがChatGPTについても言える。この技術を使わないと、知的な仕事ができなくなるだろう。

ディストピアかユートピアか？

しかも、ワープロで文章が書けるようになったから社会が良くなったというわけではない。実際には、文章を簡単に書けるようになったので、質の低い文章が世の中に溢れるようになった面もある。生成AIがもたらす負の影響は、ずっと大きなものになるだろう。

つまり、新しい技術は、ディストピアをもたらす可能性もあるのだ。どんな技術もこのような両面性を持つが、その程度は、技術により異なる。蒸気機関が電気モーターになり、ガス灯が電球に変わったとき、負の側面はほとんどなかった。それらに比べて生成AIは、諸刃の剣の性格がとくに強い。

「はじめに」で述べたように、生成AIが創る世界は、ユートピアにもディストピアにもなりうる。ディストピアとユートピアの具体的な姿は、第8章と第9章で述べた。この二つは、大きく違う。そして、どちらになるかが決まっているわけではない。一番危険なのは、この技術に無関心でいること。あるいは、それを過小評価したり、背を向けたりすることだ。

秩序を破壊する新しい技術によってこそ、新しい社会を創ることができる

革命は始まってしまったので、それを止めることはできない。それに対応するしかない。何度か、このように述べた。そのこと自体に誤りはない。しかし、それだけでは、あまりに主体性がない。われわれは、もっと積極的に考える必要がある。

われわれは、この機会を捉えて、新しい可能性を追求することができる。生成AIが従来の社会秩序を乱すというが、従来の社会があらゆる面で望ましいものであったわけではない。新しい社会においてこそ、正義が実現できるのかもしれない。

そのように考えれば、生成AIの登場は絶好のチャンスだ。これまでの社会的な仕組みが覆されるのであれば、それをどのような方向に持っていくかを考えることこそ重要だ。

たとえば、ChatGPTの利用条件をどうするかは、政策によって大きく変えることができる。それによって新しい技術の恩恵の受益者を、一部の豊かな人だけに限定することもできるし、逆にすべての人々に拡大することもできる。

だから、未来は決まっているのではなく、創っていくのだ。そのためには、われわれが生成AIの性質をよく知り、それが社会に与える影響を十分に理解している必要がある。そして、望ましい社会の実現に向けて、政治に働きかけていく必要がある。そうしたプロセスを実現できるかどうかが、国と企業と個人の未来を決めることになるだろう。

2. 秘密研究Q*は、人間に何をもたらすか?

アルトマン氏解任騒動の原因は、人類を脅かす研究?

ChatGPTの開発元であるOpenAIのサム・アルトマン最高経営責任者(CEO)が、2023年11月17日に突然解任されて、世界に衝撃を与えた。その数日後に同氏の復帰を求める従業員の署名運動が起こり、アルトマン氏はOpenAIに復帰した。

突然の騒動がなぜ起ったのかについてさまざまな憶測が行なわれたが、OpenAIが進めていた秘密の研究プロジェクトがあり、それをめぐる意見の対立が原因だったとの報道がなされた(注1)。

秘密の研究とは、Q*(キュー・スター)と呼ばれるプロジェクトだ。その詳細は謎に包まれているのだが、ChatGPTの数学的な能力を向上させるための研究であるとされる。

ChatGPTの数学力は低い

このプロジェクトがなぜ重要な意味を持つかを説明するには、現在のChatGPTの数学能力が低いことを説明しなければならない。多くの人は、「ChatGPTはＡＩだから、数学的能力は高い」と思っているだろう。しかし、実際は、まったく逆なのである。

連立方程式を解かせると間違った答えを出したり、定理の証明を求めると奇妙な間違い計算を続けて、最後に「証明ができました」と言ったりする。使い物にならない。

数学だけではない。形式論理の適用でも間違えることがある。例えば、逆命題と対偶命題を混同し、誤った結論を出すことがある。

こうした問題は、ChatGPTだけではなく、そのもとになっている大規模モデルＬＬＭに共通する問題だ。

シンボルグラウンディングできないことが、ＡＩの数学力の低さの原因か？

なぜＡＩの数学力が低いのだろうか？　その基本的な原因は、大規模言語モデルが言葉や概念

（注１）「万能ＡＩ」進む研究開発、日本経済新聞、２０２３年12月１日。

などを理解する仕方にあると考えられる。AIは、人間とは異なる方法で理解しているのだ。

人間は、さまざまな言葉、概念、記号などを、自分自身の体験に関連付けて理解している。たとえば、痛いという概念は、怪我や頭痛の経験で理解している。さまざまなことを、自分が見聞きしたものや、経験したことと関連付けて理解している。これを「シンボルグラウンディング」と言う。

ところが、LLMの理解は、これとは異なるものだ。第6章の5で説明したように、言葉をベクトルで表現し、言葉と言葉の関連を計算することによって理解している。

事前学習のテキストの中には、数学的な文献もある。それらも、言葉と言葉の間の関係として理解している。これは、人間が数学を理解するのとは異なる理解法だ。

LLMの数学的な能力が低いのは、グラウンディングができないからだとすれば、本質的な問題だ。コンピュータには身体がないからだ。

そこで、AIがシンボルグラウンディングできることを目指して、これまでさまざまな研究が行われてきた。しかし、目立った成果は挙げられなかった。

Q*でブレイクスルーがあったのか?

もしかすると、Q*において、画期的なブレイクスルーがあったのかもしれない。実際、アルトマン氏は、解任騒動の数日前に、「(AIの発展は)未知の領域に入った。能力は誰にも予想ができないほど進化するだろう」と述べている（注2）。また、OpenAI の従業員数人が取締役会へ「人類を脅かす可能性がある強力なＡＩの発見について警告する書簡」を送ったとも報じられている（注3）。

どのような方向でのブレイクスルーなのかはわからないのだが、ＡＩがシンボルグラウンディングできるようになったのかもしれない。それによって、ＡＩが人間と同じようにさまざまなものを理解できるようになった可能性もある。

第2章の3で述べたように、生成ＡＩは、創薬などの分野で、すでに創造的活動を行なっている。これまでもＡＩは、マテリアルズインフォマティクスといわれる分野で、新材料の開発に寄与してきた。Q*のブレイクスルーで、こうした作業の能率が上がるのかもしれない。

これによって技術開発が促進されるが、その技術は、兵器の開発にも利用される危険もある。OpenAI では、そうした危険が議論され、意見が分かれて、アルトマン氏の解任という事態に発展したのだろうか？

（注2）「万能ＡＩ」進む研究開発、日本経済新聞、２０２３年12月1日。
（注3）ＧＩＧＡＺＩＮＥ、２０２３年11月24日。

シンボルグラウンディングがいいとは限らない

ところで、問題は、もっと複雑だ。

人間はさまざまな概念をシンボルグラウンディングで理解しているので、難解な概念や抽象的なことがらを説明するときに例や比喩をあげると、実体験に関連付けて理解でき、わかかりやすくなる。

しかし、そうした理解法がつねによいとは限らない。実体験に制約され、束縛されることがあるからだ。

実際、科学を進歩させたのは、実体験に縛られない発想だ。その典型が、コペルニクスの地動説である。実体験に基づく理解では、つまりシンボルグラウンディングの理解では、大地が動くことなどありえない。地球は宇宙の中心にあって動かず、太陽も月も星も、地球の周りを回っている。しかし、そうした理解に基づく天動説では、天体の運動を完全に記述することができなかった。シンボルグラウンディング的理解から抜け出し、地球が動くと考えることによって、科学革命が実現したのだ。

真空中では重さの違う物体も同じ速度で落下するとしたガリレオや、力が働かない物体は等速運動をするとしたニュートン、あるいは、時間や空間が伸び縮みするとしたアインシュタインの理論もそうだ。これらは、実体験に縛られた理解からは、決して出てくることがない発想だ。

本当に人間の可能性を拡大する創造的な発想とは？

そう考えると、ＡＩの飛躍的進歩は、ＡＩが人間と同じようにシンボルグラウンディングすることによって実現するのでなく、まったく別の方法によって実現するのかもしれない。このように、問題は複雑だ。

どのような世界の理解、あるいは発想の方法が最も強力なのか？　人間のシンボルグラウンディング的な思考法なのか？　あるいは、それを超えるものなのか？　それとも、これまでのＬＬＭの考えが何らかの形で進化したものなのか？

そして、そうしたことが実現した世界において、人間の役割はどのようなものになるのか？　人間は、ＡＩをコントロールし続けられるのか？

人間は、いずれは、こうした問題に向き合うだろうと考えられていた。ただし、それは、だいぶ先のことと考えられていた。しかし、もしかすると、これらは、すでに現実の問題となってしまったのかもしれない。

ＡＩを使いこなし、人間としての能力を最大限高めていくための方法とはどのようなものなのか？　それによって知の世界は、どのように変容していくのか？　この問題については、本書の続編で論じることとしたい。

参考文献

第1章

・Wayne Xin Zhao et.al., “A Survey of Large Language Models,” arXiv:2303.18223 [cs.CL] last revised 11 Sep 2023.

・A. Shaji George et.al., “A Review of ChatGPT AI’s Impact on Several Business Sectors,” *PUIIJ*, January-February 2023.

・野口悠紀雄『「超」創造法：生成ＡＩで知的活動はどう変わる？』幻冬舎新書、２０２３年。

第2章

・マッキンゼー・アンド・カンパニー「生成ＡＩがもたらす潜在的な経済効果：生産性の次なるフロンティア」２０２３年6月14日。

・野口悠紀雄『ブロックチェーン革命：分散自立型社会の出現』日本経済新聞出版、２０１７年。

第3章

・野口悠紀雄『データ資本主義：21世紀ゴールドラッシュの勝者は誰か』日本経済新聞出版、２０１９年。

第6章

・Ashish Vaswani et.al., "Attention Is All You Need," arXiv:1706.03762v7 [cs.CL], 2 Aug 2023.

・野口悠紀雄『ＡＩ入門講座』東京堂出版、２０１８年。

・岡野原大輔『大規模言語モデルは新たな知能か』岩波科学ライブラリー、２０２３年。

第7章

・Goldman Sachs, "The Potentially Large Effects of Artificial Intelligence on Economic Growth," 26 March 2023.

・Edward W. Felten et.al., "How will Language Modelers like ChatGPT Affect Occupations and Industries?," 18 March 2023.

・Tyna Eloundou et.al., "GPTs are GPTs: An Early Look at the Labor Market Impact Potential of Large Language Models," 17 March, 2023

第8章

・カイフー・リー（李 開復）、チェン・チウファン（陳 楸帆）、（中原 尚哉訳）『ＡＩ２０４１：人工知能が変える20年後の未来』文藝春秋、２０２２年。

【た】

【な】

【か】

索　引

【著者】

野口悠紀雄

（のぐち・ゆきお）

1940年、東京に生まれる。
63年、東京大学工学部卒業。64年、大蔵省入省。
72年、イェール大学Ph.D.（経済学博士号）。
一橋大学教授、東京大学教授（先端経済工学研究センター長）、
スタンフォード大学客員教授、早稲田大学教授などを経て、
一橋大学名誉教授。専攻は日本経済論。

近著に、『日本が先進国から脱落する日』（プレジデント社、岡倉天心記念賞）、
『2040年の日本』（幻冬舎新書）、『超「超」勉強法』（プレジデント社）、
『日銀の責任』（PHP新書）、『プア・ジャパン』（朝日新書）、
『「超」創造法』（幻冬舎新書）、
『どうすれば日本経済は復活できるのか』（SB新書）ほか多数。

X（ツイッター）　https://twitter.com/yukionoguchi10
note　https://note.com/yukionoguchi
野口悠紀雄online　https://www.noguchi.co.jp/

生成AI革命　社会は根底から変わる

2024年1月18日　1版1刷

著　者　野口悠紀雄

発行者　國分正哉
発　行　株式会社日経BP
日本経済新聞出版
発　売　株式会社日経BPマーケティング
〒105-8308　東京都港区虎ノ門4-3-12

装　幀　野網雄太（野網デザイン事務所）
ＤＴＰ　マーリンクレイン
印刷・製本　三松堂

ISBN 978-4-296-11895-3

本書籍に関するお問い合わせ，ご連絡は下記にて承ります。
https://nkbp.jp/booksQA

Printed in Japan